RECONSTRUCCIÓN

colección andanzas

ANTONIO OREJUDO
RECONSTRUCCIÓN

TUSQUETS
EDITORES

1.ª edición: enero 2005

Diseño de la colección: Guillemot-Navares
Reservados todos los derechos de esta edición para
Tusquets Editores, S.A. - Cesare Cantù, 8 - 08023 Barcelona
www.tusquets-editores.es
ISBN: 84-8310-292-7
Depósito legal: B. 1.151-2005
Fotocomposición: Foinsa - Passatge Gaiolà, 13-15 - 08013 Barcelona
Impreso sobre papel Goxua de Papelera del Leizarán, S.A.
Liberdúplex, S.L. - Constitución, 19 - 08014 Barcelona
Encuadernación: Reinbook
Impreso en España

Índice

A Nuria Guzmán y a Eusebio Villanueva

NOTA DEL AUTOR

Esta es una obra de ficción, pero contiene datos históricos y juicios que han sido tomados de otros libros y colocados aquí, más o menos retocados, en boca del narrador y de algunos personajes. Es justo por tanto reconocer que esta novela debe mucho, entre otros, a Stefan Zweig, George H. Williams, Roland H. Bainton y Ángel Alcalá.

Conversación

La historia comienza con el obispo Frederick levantándose de la cama y pidiendo un baño perfumado. Ayudado por una complaciente y dispuesta benedictina que acaba de entrar a su servicio, el obispo Frederick se sumerge en el agua tibia con un estremecimiento de placer. Pide a la monjita que lo deje solo. Cierra los ojos y se abandona a sus sentidos. Se siente como el padre que espera al hijo que regresa, o más exactamente como el artista que da a conocer por primera vez su creación al público. En cierto modo, Bernd es su obra. Es también su esperanza. Y la encarnación de su deseo, una prolongación de sí mismo, un regalo. El obispo Frederick no será papa, como soñó en algún momento de su vida, pero ha llegado lejos, y puede morirse satisfecho. Bernd es un don que se le ofrece en la última etapa de su vida; la posibilidad de ir un poquito más allá. Un suplemento.

Lo conoció cuando no era más que el hijo del platero. Había hecho llamar a su padre y le había encargado una medalla en la que debía aparecer por una cara Moisés y su pueblo en el momento en que Aarón golpea una piedra y brota agua, y por la otra

15

la Paz prendiendo fuego a un montón de armas junto al templo de Jano. Ninguno de los estampados en plomo que le presentó el orfebre le satisfizo. La Paz, que tenía que ser una figura joven y bellísima, aparecía en todos ellos torpe y desdibujada. Entonces el obispo Frederick, que ya se había fijado en el niño que acompañaba al platero, le propuso a este que lo tomara como modelo. Y así fue como el artesano logró finalmente representar a la Paz con todo su esplendor.

El obispo Frederick llama a la monja y le pide que le alcance la medalla. Quiere contemplar de nuevo la carita de su niño y repasar una vez más con las yemas de los dedos el contorno de su figura. CLAUDUNTUR BELLI PORTAE, se lee en el reverso de la medalla. La idea de grabar esta leyenda fue de Bernd, que sugirió esa posibilidad en una de las visitas del obispo al taller para supervisar el trabajo. Y Frederick supo leer en aquel signo el futuro del muchacho. De no haber sido por él, aquel niño se hubiera convertido en aprendiz de joyero y luego en maestro; hubiese heredado el taller de su padre, y hoy ganaría mucho dinero, pero no sería más que un orfebre. El obispo Frederick convenció a su padre para que le permitiera dirigir sus estudios. Le dio clases de latín, griego y hebreo; orientó sus lecturas, moldeó su sensibilidad, adiestró su pensamiento, y le enseñó cómo besar a un hombre, cómo acariciarlo. También le propuso que se ordenara sacerdote, pero Bernd se negó. Frederick comprendió que había que tener paciencia.

Cuando terminó sus estudios de maestro, Frederick lo invitó a que predicara en el atrio de la catedral. Y entonces el mundo, es decir Münster, se dio cuenta de que aquel muchacho no era un simple capricho del obispo. Su capacidad de invención, abonada con numerosas lecturas, su profundo conocimiento de las Escrituras y su empatía, su extraordinaria facilidad para narrar, para ponerse en la piel de sus vecinos y para captar su atención hacían de él un excelente predicador. Poseía una mente rápida, metódica y disciplinada; era capaz de improvisar un discurso en pocos minutos y de hacer atractivos los largos y complejos sermones de contenido teológico. Y además estaba cada día más guapo. Frederick se volvía loco comiéndole las orejitas. Los hombres y las mujeres de Münster lo escuchaban embelesados, cautivados por un chorro de voz potente y al mismo tiempo melodioso, turbados por una belleza no cultivada, un tanto silvestre y desaliñada, que confundía a los unos y desarmaba a las otras.

El obispo Frederick siempre supo que aquel muchacho era excepcional, y que hubiese sido una lástima que no continuara sus estudios en la universidad. Habló con el padre de Bernd, se reunió con los gremios y los convenció para que costearan sus estudios en Colonia, aunque eso significara una larga separación. Frederick siempre fue consciente de la trascendencia de su labor, siempre supo que estaba formando a un teólogo de fuste, creando un Erasmo menos ambiguo, un Lutero católico, ese dirigente espiritual que tanto necesitaba la cristiandad. Así que no fue solamente la lujuria lo que le llevó hacia él; le movió también un genuino interés por la comunidad y la seguridad de estar forjando un nuevo papa. Ahora sólo faltaba que Bernd entrara en la jerarquía. Bernd Rothmann estaba llamado a desempeñar un importante papel político, y para eso era imprescindible trabajar desde dentro de la Iglesia. Así se lo decía el obispo Frederick al rector de Colonia cuando este le escribía entusiasmado informándole de los progresos que experimentaba su protegido. Su hijito. Es cierto que el rector hacía referencia de vez en cuando al carácter de Bernd, demasiado receptivo a la novedad. Pero esta objeción, si lo era, quedaba diluida siempre en el relato de sus excelentes exposiciones públicas y de sus brillantes debates con los compañeros. Conoce profundamente los textos latinos, griegos y hebreos, le escribía el rector, tiene un dominio abrumador de la retórica, y ha construido un pensamiento original que pese a su inconformismo está dentro de la ortodoxia.

Con sus presiones, el obispo y el rector consiguieron finalmente que Bernd se ordenara sacerdote, y cuando el nuevo pastor terminó sus estudios, Frederick lo preparó todo para que su primera misa se celebrara en la catedral de Münster, ante su rebaño.

Ese día ha llegado, y aquí está él aseándose con esmero para recibir a su hijo bien amado. A su hijito bien amado. El obispo Frederick cierra los ojos y todavía permanece unos minutos sumergido hasta el cuello.

Desde el exterior llegan el repicar de las campanas y los compases de una música festiva. Los tambores acompañan el regocijo de los miles y miles de vecinos que empiezan a llenar calles y plazas. El obispo Frederick siente de repente unas irresistibles ganas de bailar.

–Tuve que bailar con él muchas veces.

–Es normal. ¿Quién no ha tenido que bailar alguna vez a solas con un viejo obispo impotente?

Los árboles, adornados, reflejan alegremente los rayos del sol. Frederick ha mandado cubrir las calles de césped y vestir las fachadas con tapices de oro. Escuadrones de caballería y lombarderos han tomado las entradas de la ciudad. Todas las plazas por donde pasará Bernd están repletas de gente engalanada. Algunos vecinos han construido arcos triunfales, otros han inventado juegos, celebran certámenes, representan alegorías o recitan versos. Los gremios y el Ayuntamiento han tirado la casa por la ventana. En la plaza de la catedral se han levantado dos monolitos de mármol que sostienen sendos leones dorados. Entre ambos hay un águila imperial de dos cabezas que en realidad son dos grifos por los que mana vino blanco y vino tinto. Muy cerca de allí un inmenso asador da vueltas a un buey con pezuñas y cuernos dorados, al que han rellenado de pequeñas aves comestibles. Los muchachos se arremolinan bajo las ventanas de las casas, y desde allí los vecinos les lanzan mazapanes, tortas, bizcochos y frutas confitadas. Basta un grito para que un alud de manzanas, peras, castañas, nueces, avellanas, almendras azucaradas, hierbas aromáticas y golosinas caigan sobre el lecho de grama que pisan.

–Yo no esperaba algo así.

–Usted se había disfrazado de Jesucristo y esperaba un recibimiento tan austero como su aspecto.

–Sabía que me estaban esperando; pero no podía imaginarme que se hubieran vuelto locos.

De pronto alguien anuncia la llegada de Bernd. La muchedumbre se desborda como una ola. Todos intentan ocupar el mejor lugar. Unos se suben a los tejados, otros se cuelgan de las rejas más altas o trepan por columnas, postes, por cualquier saliente. Otros se acomodan en las ventanas engalanadas de sus casas y contemplan a las autoridades que esperan a las puertas de la ciudad la llegada de Bernd Rothmann. Allí está ya el obispo Frederick, aseado y solemne, sobre un caballo blanco de notable alzada, enjaezado con riendas doradas y gualdrapas rojas. Lo flanquean el alcalde y el presidente de la asociación de gremios. Tras ellos desfila una interminable procesión de niños nobles seguida por los concejales montados sobre caballos negros.

Un rumor de excitación precede al momento esperado, como si la muchedumbre convertida en un solo cuerpo contuviera la respiración antes del estallido. Entonces aparece Bernd. Al principio no lo reconocen, piensan que es un paje o un peregrino que precede a la comitiva. Esperan. Pero nadie entra tras aquella figura montada en burro. Aquel hombre que se ha dejado crecer el cabello hasta los hombros y la barba hasta el pecho y que viene a lomos de un humilde pollino, aquel hombre cubierto con un modesto hábito talar y calzado con unas sandalias debe de ser Bernd Rothmann. Sí, debe de ser Rothmann. Durante un instante nadie aplaude ni grita. La música cesa. Es el obispo Frederick el primero que se recupera de la impresión. No quiere dar importancia a su aspecto, y atribuye aquellas barbas descuidadas y aquellos pelos a las costumbres de la juventud en Colonia, a su naturaleza siempre rebelde. Frederick baja de su caballo y se acerca a Bernd. Bernd también se desmonta. Ha crecido.

–Hijo, bienvenido a casa –le dice. Y lo abraza.

El obispo nota que ha ensanchado. Lo abraza con dificultad e intenta rozarle la oreja con los labios, pero Bernd se retira. El gesto le duele a Frederick. El obispo espera alguna palabra de agradecimiento, de cortesía, pero Bernd no dice nada. Sonríe. No hay en su rostro ni en su mirada señal alguna de emoción. Ni de irritación, ni de ira, ni de enfado. Sigue siendo, eso sí, muy hermoso. Entre los pelos se adivina su rostro apacible y una mirada limpia y azul. El obispo quiere saber si se encuentra bien o si ha tenido algún percance en el camino. Pero Bernd no contesta; estira un poco más la comisura de los labios y hace aún más amplia su sonrisa, una sonrisa beatífica y tranquila, que se imprime indeleblemente en las pupilas de quien lo mira.

La muchedumbre, que tampoco está dispuesta a que el desaliño de Bernd o las excentricidades de Colonia echen a perder la celebración, estalla en una ovación y comienza a vitorear al recién llegado. La comitiva se pone en marcha hacia la catedral. A su paso, los vecinos lanzan flores. Además ha corrido la voz, y quienes esperan en la plaza, al final del trayecto, ya están sobre aviso y el aspecto de Bernd no les sorprende tanto como a los primeros. De vez en cuando el obispo vuelve la cabeza para ver qué efecto tiene en Bernd semejante recibimiento. Poca cosa. Bernd mira a uno y otro lado de la calle, y agradece los aplausos con levísimas inclinaciones de cabeza. Y sigue sonriendo. En un momento del trayecto se detiene y se apea del burro para saludar a tres amiguitos de su infancia: Rol, Kiopreis y Vinne, convertidos ya en hombres anodinos y barrigudos. Vinne, con lo guapo que era, ha perdido todo el pelo.

Llegan a la catedral entre los gritos de los paisanos y el enloquecido repicar de las campanas. Descabalgan y cada cual ocupa su lugar en el templo. El obispo Frederick se dirige a la sacristía acompañado de Bernd mientras los vecinos de Münster abarrotan la enorme planta. Una vez vestidos, el obispo le pide que sea él quien predique en aquella ocasión tan memorable. La catedral está repleta y no es a Frederick a quien toda esa gente quiere oír.

–Es tu grey, cielo.

Bernd se arrodilla con humildad a los pies del obispo, le toma la mano y se la besa mientras el órgano mantiene vibrantemente un *la* bemol, y con la nota el fervor de los fieles. Frederick, excitado, pugna por penetrarlo con sus dedos en la boca, pero Bernd se resiste. Es una batalla sorda de la que el viejo obispo sale derrotado. Al fondo un coro de voces angelicales aviva la fe e invita a fundirse en un solo cuerpo espiritual.

Durante la misa, el obispo Frederick no aparta la vista de Bernd. Lo ve orar con fervor, cantar con entusiasmo y leer con emoción contenida la palabra de Dios. No parecía posible, pero ha mejorado su dicción y la modulación de su hermosa voz. Cuando llega el momento de la homilía, Bernd camina con decisión hasta el pie del púlpito y sube con recogimiento uno a uno los treinta escalones de caoba que lo elevan sobre su grey. Lleva las manos unidas por las yemas de los dedos y la cabeza humillada, como si no se atreviera a mirar al frente o como si estuviera sufriendo una metamorfosis interior. Los murmullos y conversaciones a media voz, que se producen siempre durante la misa, cesan. Cuando toda la catedral está en silencio, Bernd Rothmann levanta la cabeza. A Frederick le asustan de repente esos ojos encendidos. Rothmann coloca las manos sobre el antepecho del púlpito y con una voz tan potente que aún puede oírse hoy, varios siglos después de todo aquello, rebotando rabiosamente contra el tornavoz y los muros del templo dice:

–Si algo he aprendido en estos cinco años de estudio es que la Iglesia católica, empezando por nuestro querido obispo Frederick, es una institución tumefacta y podrida. Nuestro deber como cristianos es prenderle fuego y destruirla. Y para que veáis que no exagero os voy a contar en orden cronológico todo lo que he tenido que hacerle a ese viejo impotente que veis ahí para poder salir de Münster y estudiar teología.

Durante esos cinco años en Colonia Bernd Rothmann no ha hecho otra cosa que estudiar, estudiar y estudiar. Se levantaba temprano y leía varios libros en una mañana gracias a una novedosa técnica de lectura rápida; tomaba notas y reflexionaba sobre lo leído. Mientras sus compañeros se divertían, él estudiaba, consciente de que el dinero que costeaba todo aquello no era suyo. Alguna vez hizo algún exceso intentando acabar con su fama de soso, pero en las contadas ocasiones en que intentó divertirse como los demás se pasó vomitando toda la noche. No podía decirse tampoco que aquel joven tuviese un gran sentido del humor. A él lo que verdaderamente le gustaba era debatir, entregarse a la lucha intelectual.

Y cuanto más estudiaba y más leía la Biblia, más claramente veía que la figura de Cristo había sido manipulada por Constantino en el Concilio de Nicea y que su palabra había sido traicionada por todos los papas posteriores a él. La Iglesia de Cristo se había convertido en una maquinaria de intereses y ambiciones que nada tenía que ver con la sencillez del mensaje original. Como otros muchos antes que él, Bernd Rothmann también sintió la necesidad de una reforma.

Oyó hablar de Gerson y de D'Ailly, leyó algunos escritos de Wyclif, de Huss, de Juan de Fiori; se interesó por la *devotio* moderna de Tomás de Kempis, por los hermanos de la vida común, por Erasmo... Y naturalmente empezó a ver con otros ojos al demonio de Lutero.

El hereje alemán había clavado años atrás en la iglesia del castillo de Wittenberg sus 95 tesis contra el sistema de indulgencias. Bernd, que había crecido oyendo hablar de aquel fraile como de un monstruo poseído por la rabia y el resentimiento, descubrió que Lutero no era un diablo, sino el último eslabón de una larga cadena de descontentos. Las reformas que exigía no eran nuevas; pertenecían a un soterrado movimiento nacido siglos atrás en el seno de la propia Iglesia, que con él abandonaba la clandestinidad y salía a la superficie. El fraile y los demás reformistas que enseñaban en la Universidad de Wittenberg fueron adquiriendo en el imaginario de Bernd otros contornos, otras connotaciones, otros significados. Aquellos hombres, sus ideas, no sólo le resultaban atractivas por lo que tenían de prohibidas; también empezó a verlas como reformas necesarias. Así que un buen día, como otros muchos jóvenes, Bernd Rothmann se escapó a Wittenberg en busca de respuesta a las muchas preguntas que en Colonia ni siquiera le permitían formular sin mirarlo como a un enfermo. Allí, en Wittenberg, asistió a las lecciones de Lutero, que entonces se dedicaba a explicar las cartas de san Pablo, y a las de Melanchton.

–Yo una vez· vi a Lutero. Para mí fue una decepción que alguien tan severo, tan estricto, tan recto en sus planteamientos tuviera tanta grasa.

–Es cierto; tú lo oías hablar y no te lo imaginabas rezando, sino babeando por una monja. De hecho se casó con una. Se le veía muy inclinado a cometer todos los pecados que reprobaba, especialmente el de la concupiscencia. La concupiscencia le obsesionaba. Hasta en eso se parecía a los católicos. Para mí era mucho más interesante Melanchton.

–No, a ese no lo conozco.

–Ahora debe de ser muy viejo, pero yo todavía recuerdo sus lecciones. Al lado de Melanchton, Lutero resultaba ignorante y hasta grosero. Melanchton era refinado, culto, elegante; y sus lecciones, que aparentemente daba sin esfuerzo, eran piezas retóricas perfectamente ejecutadas. Cualquier anécdota, cualquier detalle, le servía para profundizar en una definición teológica, para hilar conceptos, para explicar lo que alguien no entendía. Si al principio hacía una observación que parecía no tener importancia, al final la retomaba convertida en una clave que explicaba todo el discurso. Era un prodigio. Y más delgado que Lutero.

Aunque los reformistas de Wittenberg no respondieron a todas sus preguntas, al menos le permitieron plantearlas. A partir de ese momento, Bernd llevó dos vidas: una oficial, estudiando teología en Colonia, y otra clandestina, frecuentando en secreto las aulas de los luteranos.

Fue en Wittenberg donde nació su afición al nuevo invento de la imprenta. Lo primero que descubrió fue el olor. Le encantaba entrar en los talleres y notar el profundo aroma a tinta y papel. Luego empezó a hablar con los operarios. Aprendió la técnica y los entresijos de cada tarea. Se interesó en especial por el diseño y el grabado de letras. En algo tenía que notarse que era hijo de orfebre. Mientras estudiaba consiguió trabajo como corrector en un taller de Colonia. Su cometido no consistía solo en descubrir erratas, sino también en corregir imprecisiones de contenido y en proponer enfoques distintos a los del manuscrito que se iba a imprimir. Y aprovechaba los ratos muertos para dibujar con un lápiz de punta de plomo letras fantásticas.

La fascinación por las ideas de Wittenberg fue dejando paso a una actitud más crítica. Si al principio aquella proposición luterana de que basta la fe, sin obras, para alcanzar la salvación eterna le había resultado atractiva por su sencillez, pronto advirtió su perversidad: negando valor al comportamiento, a la acción, los luteranos propugnaban una pasividad que a Bernd no le parecía cristiana. Cristo, pensaba Bernd, no estaría tan obsesionado como Lutero por su propia salvación y en ningún caso se hubiera quedado de brazos cruzados ante los abusos y las injusticias de este mundo. Cómo se puede creer en otro mundo, se preguntaba, si no se cree antes en este. Bernd, eso sí, compartía con aquellos reformadores dos importantes principios: la consideración de la Biblia como única autoridad y el odio visceral a la Iglesia católica, que en su caso además estaba abonado por razones personales. Mantuvo con bastante habilidad su doble vida, y al final de sus estudios regresó a Münster convertido en sacerdote, pero con el propósito de combatir las mentiras católicas.

Tras aquel sermón de Bernd en el púlpito de la catedral, el obispo Frederick comprende que enviar un par de alguaciles para prenderlo avivará un incendio que quizás se extinga solo. Así pues, prefiere retirarse, no intervenir. Se limita a prohibirle que predique y confía en que aquella tontería no pase a mayores. Pero no calibra bien el odio de su antiguo hijo. Bernd Rothmann ignora su prohibición, sigue predicando por las calles e insultándolo públicamente protegido por la asociación de gremios. Frederick termina cayendo en un estado cercano al autismo, como si su espíritu se hubiese mudado a otra parte, al pasado. Permanece largos períodos de tiempo en silencio, con la mirada perdida más allá del horizonte. Aquello no es prudencia, aquello es un súbito desinterés por todo. Una huida. Bernd no desaprovecha esa pasividad, y un año después de su llegada, en enero de 1532, publica un pliego suelto con sus principales creencias.

–Todavía lo conservo. Aquel fue el primer libro que publiqué.

El palacio del obispo se levanta a las afueras de Münster. La fachada se abre con dos grandes portones sobre los que asoma el balcón de su planta principal. La sobriedad exterior del edificio, rematado únicamente por una galería de arcos que sustenta el alero, contrasta con la grandiosidad del interior. Una majestuosa escalera principal conduce a la entreplanta y da paso a un corredor de arcos con el pavimento de madera, por el que se accede a una sala decorada con un sencillo artesonado, viguería de madera policromada y bovedilla con motivos florales y zoomórficos.

El hombre de aspecto bondadoso que está sentado en un sitial presidiendo una reunión de prelados se llama Frank de Waldeck y acaba de ser nombrado nuevo obispo de Münster. El episodio de la catedral ha corrido como la pólvora. La gente de los pueblos vecinos, temerosa, descontenta y ávida de guías espirituales, acude a Münster atraída por lo que se cuenta de Rothmann. En las últimas semanas han entrado cientos de peregrinos, que escuchan embelesados sus palabras. Muchos han rechazado públicamente a la Iglesia católica y se han bautizado por segunda vez. La situación, intolerable, ha llegado a oídos del emperador, que ha sido muy expresivo en su análisis: lo único que no necesitamos en Alemania ahora mismo, ha venido a decir, es a un imbécil que sufrague con nuestro dinero los estudios de un revoltoso. Frederick ha sido inmediatamente relevado de su puesto, y en su lugar el emperador ha nombrado a un obispo con fama de dialogante, pero que esconde bajo su apariencia de hombre apacible y bonachón a un ortodoxo radical.

¿Qué quieren, está diciendo más o menos, los que gritan histéricamente que regresemos a la originaria pureza del cristianismo primitivo? Esa idea de que hubo una vez un cristianismo puro, inocente, auténtico, es una extravagancia mítica. Pero, claro, los evangélicos necesitan esa mentira para provocar a la gente y hacer creer al mundo que ahora la Iglesia es un nido de corrupción y decadencia. Jamás ha habido un cristianismo puro como pretende ese Rothmann. No puede haberlo. Aunque persiga fines espirituales, la Iglesia católica debe tener una presencia real en el mundo para que esos fines espirituales tengan sentido. Y como toda institución terrenal, la Iglesia católica está sujeta a necesidades y servidumbres. Y para hacerles frente ha de comportarse de un modo no muy diferente al de príncipes y mercaderes. La Iglesia católica tiene que influir sobre los consejos reales, tiene que influir sobre las ciencias y las letras, y tiene que enriquecerse, sí, enriquecerse, porque el único modo de no envilecer el alma con el oro es poseyéndolo. Curiosamente, cuando más cerca está de alcanzar esa posición de seguridad política y económica desde la que se puede emprender sin riesgos una aventura espiritual, surgen estos hipócritas gritando que nos hemos alejado de Cristo. ¡Como si viviéramos en los tiempos de Jesús de Nazaret! ¿Qué quieren? ¿Que vistamos túnicas y descalcemos nuestros pies para andar sobre el lodo? ¿Qué buscan? ¿Buscan de verdad el bien de su Iglesia o la destrucción de la cristiandad? Porque esa actitud es el modo más eficaz de conseguir que el nombre de Cristo desaparezca de la tierra. ¿Acaso le sería posible a la Iglesia de Cristo mantener su influencia en el mundo si no contase con bienes terrenales? ¿Alguien nos tomaría en serio si el Santo Padre no se comportara como un príncipe? Por favor, no seamos ingenuos. El reino de Cristo no es de este mundo, pero su Iglesia sí. Y el mundo está lleno de enemigos dispuestos a destruirnos.

Frank de Waldeck cree que para acabar con aquella rebelión hay que tener mucha flexibilidad y bastante mano izquierda. Aunque las tripas le piden arrasar la ciudad, la razón le recomienda evitar la guerra. Lo más práctico es conservar las parroquias que todavía están en su poder y evitar pacíficamente que les arrebaten la catedral. Hay que mantener los bastiones católicos y tratar de que los focos evangélicos no se radicalicen. Para lo cual está dispuesto a aceptar una constitución y una escuela de corte luterano. Está dispuesto incluso a ceder los privilegios fiscales de su cargo si se respetan las instituciones católicas. Este es el mensaje que hace llegar al Ayuntamiento y a la asociación de gremios, que apoyan inequívocamente a Rothmann. El obispo solicita una reunión para firmar el compromiso. Establecen una fecha y un lugar neutral, pero veinticuatro horas antes de que se celebre el encuentro, el Ayuntamiento destituye a todos los párrocos católicos de Münster y nombra en su lugar a partidarios de Rothmann. El propio Bernd es designado predicador de San Lamberto, una emblemática iglesia de la ciudad. La reunión para la firma del acuerdo queda inmediatamente anulada.

Los asesores de Waldeck consiguen convencerlo para que haga de tripas corazón. Dos semanas después el obispo envía un nuevo emisario para negociar otro encuentro. Se vuelve a fijar un lugar, se vuelve a fijar una fecha. Y veinticuatro horas antes de la reunión la gente de Rothmann asalta el convento de Telgt, cercano a la ciudad.

–Que en el monasterio de Telgt se reunían los canónigos de la catedral todas las noches era algo que sabíamos desde niños. Se decía que eran reuniones satánicas. Pero de satánicas, nada. Allí los monseñores se hacían untar y disfrutaban con fervor de las novicias adolescentes. Aquella noche los padres de las monjitas se unieron y fueron a por ellos. Eso fue lo que pasó. Los sacaron a golpes y los ataron desnudos en la plaza de la catedral. Con el frío que hacía.

Esta vez el obispo no atiende a razones. Ordena a su ejército ir casa por casa y llevarse a todos los jóvenes en edad militar. Reclutamiento obligatorio. A quien se resiste lo matan.

–En ese momento le vimos las orejas al lobo. Hasta entonces habíamos estado jugando a ser rebeldes. Pero a partir de ese momento tuvimos que decidir si íbamos en serio o dejábamos de jugar, si seguíamos adelante o llegábamos a un compromiso. Rebelarse contra el padre, contra los tutores y los maestros es algo natural. Los llamas hijos de puta, los tratas como a viejos inservibles y te burlas de todas sus ideas. Crees, necesitas creer porque todavía eres un niño, que son árboles robustos, con suficiente fortaleza para resistir tus golpes y tu desprecio. Pero no es así. Ellos también son arbustos endebles que se sostienen a duras penas con unas raíces superficiales. Tienen cierto vigor, claro, pero si la agresión es muy violenta, reaccionan en defensa propia. Y eso fue lo que pasó: nosotros éramos jóvenes y audaces y nos creíamos llamados a renovar la cristiandad sobre la tierra. Y no sólo nos permitíamos el lujo de ser insolentes, sino que además pensábamos que las víctimas de nuestra ira debían admirar a quienes las humillaban. Pero no fue así. No podía ser así. Después de lo de Telgt, el obispo Frank de Waldeck decidió machacarnos.

A Münster llegan peregrinos todos los días; unos solos, otros en grupos, cada uno con sus creencias particulares. Les une el diagnóstico de la situación: la Iglesia de Cristo ha llegado a un punto sin retorno. También están de acuerdo en la medicina: hay que reformarla siguiendo la Biblia. Pero cada uno tiene su idea de la dosis necesaria y su preferencia por una u otra vía de administración. En las reuniones que mantienen semanalmente participan todos ellos; incluso los católicos moderados.

–Yo siempre los animé a que cada cual se manifestara con libertad, a que nadie se sintiera obligado a aceptar ideas que le resultaran incómodas.

–Mal hecho. En esas circunstancias, cuando todo el mundo tiene la sangre en la cabeza, es una irresponsabilidad recomendar algo así.

–A mí no me parece una recomendación irresponsable. Ante todo, no quería repetir los errores de la Iglesia católica. Tampoco quería ser papa. Quería que las decisiones fueran colegiadas, que todo el que lo deseara pudiera asistir a las reuniones que se celebraban en el ayuntamiento, y que nadie tuviera miedo de dar su opinión.

–Conmovedor.

–No; más bien honesto.

–Seguramente sí, pero una cosa tan honesta es una cosa ingobernable. Para salir airoso de un lío como ese hay que mandar, hay que convertirse en un tirano.

–Pero yo no quería mandar. Y menos aún, ser un tirano.

–Ya lo sé. Usted era puro y celeste, usted seguía levantándose temprano a leer, a tomar notas, a reflexionar. Usted no quería abrir los ojos a una realidad: que entre los evangélicos también hay fanáticos.

–Eso lo sé muy bien. Allí había un tal Strapade, Herman Strapade, que no soportaba la heterodoxia en ningún ámbito de la vida. Él era contrario a cualquier tipo de acuerdo. Siempre que intervenía era para proponer medidas de control de entrada en Münster. Quien no se declarara abiertamente evangélico debía ser expulsado de allí. Y para identificar a los que estaban verdaderamente comprometidos con la causa propuso declarar obligatorio el bautismo de adultos. Todo aquel que no quisiera bautizarse por segunda vez sería expulsado de Münster. Enseguida se formaron dos grupos. Los que pensaban que el bautismo era algo insignificante, sin entidad para hacer de él una bandera; y los que creían que si alguien se declaraba evangélico y reconocía que la Biblia era la única autoridad, tenía que negar a los papistas ese poder que se habían arrogado declarándose a sí mismos suministradores del primer sacramento; la Biblia no dice nada de eso. Yo propuse que cediéramos todos; que predicáramos la ridiculez de bautizar niños, pero que no obligáramos a nadie a bautizarse si no quería. Logré un acuerdo precario con los católicos, que eran quienes tenían ejército. Los más radicales de aquellas asambleas, entre ellos muchos amigos míos, pensaron que yo no era suficientemente evangélico. Los moderados, por su parte, comenzaron a decir que me había convertido en un extremista intransigente. Pero yo seguía haciendo lo que había hecho desde el principio: celebraba misas en la calle, para todos, con pan y vino verdaderos; y predicaba. Alguna vez intentaron unos y otros echarse sobre mí y fue la propia gente del pueblo la que me defendió.

Cuando Beukels llega a Münster encuentra una ciudad entusiasmada y alegre. Y eso le da mala espina. Él siempre ha asociado el fin del mundo al malestar. Además, él prefiere la crispación; no es que sea un tipo lúgubre, es que se maneja mejor en los ambientes confusos, eso es todo. Los vecinos han tomado las calles, caminan de aquí para allá, se detienen, se saludan y forman corrillos interrumpiendo el paso de los demás transeúntes. Qué ciudad. Qué olores. Hay músicos callejeros, recitadores de poesías y vendedores ambulantes. Le sorprende el escandaloso trasiego de sus calles, que él relaciona más con el sur de Italia, con España, que con la fría Alemania; pero está visto que cualquier país nórdico puede convertirse en uno mediterráneo si las temperaturas suben lo suficiente. La ciudad le parece poco seria, frívola. Todo tiene un aire pagano que le disgusta, y a primera vista nada indica que aquel lugar vaya a desempeñar un papel importante en el fin del mundo. Con este clima y con estas chicas tan guapas que pasean por las calles, el Apocalipsis pierde bastante consistencia.

Beukels se dirige al ayuntamiento. Lo esperan el alcalde y los representantes de la asociación de gremios. Se ha presentado como enviado del profeta Mathijs; ha pensado que eso le daría cierto peso político. Pero en realidad ni el alcalde, ni los concejales, ni los artesanos han oído jamás hablar de Mathijs. Reciben a todo el mundo, simplemente. Han decidido aplicar a los asuntos civiles la misma sencillez del Evangelio. En el ayuntamiento no hay papeles, no hay instancias, no hay firmas. Hay sólo conversación, intercambio de ideas y apretones de manos, palabras de honor. Se intenta restaurar la confianza entre los hombres.

Están sentados alrededor de una mesa ovalada. Para romper el hielo, Beukels alaba la arquitectura de la ciudad, el clima, y se sorprende de que, dadas las circunstancias, la gente esté tan contenta.

–Los católicos creen que echando una losa sobre las personas matan sus impulsos vitales. Pero ¿qué sucede cuando levantamos una pesada piedra en el campo? Que bajo ella la vida ha germinado con más ímpetu y virulencia.

Vaya por Dios, para colmo de males el alcalde es un poeta.

–Bernd le ha dado a Münster alegría –continúa–. Bernd nos ha enseñado a escurrir las pesadas cargas que los católicos colocan sobre los hombres de buena fe para garantizar su mansedumbre. Bernd ha corrido las cortinas de una habitación que estaba a oscuras. Ha abierto las ventanas de nuestra ciudad.

Los artesanos que lo acompañan asienten a las palabras del alcalde. Sobre todo uno gordo que se llama Knipperdolling. Parece agradarles que se exprese así. A Beukels en cambio le da náuseas tanta armonía. Por un momento considera la posibilidad de abrirles los ojos, de hacer allí mismo las operaciones matemáticas que el maestro les ha enseñado, y demostrarles que Münster no ha sido llamada para ejercer sobre el mundo un hechizo pastoril, sino para provocar la Gran Batalla. Sopesa los pros y los contras. Mira al artesano gordo, que mira embelesado al alcalde, quien a su vez lo mira a él, a Beukels, con una sonrisa beatífica. Decide callarse. Se produce un silencio bastante incómodo. Qué quiere este mozalbete, parecen preguntarse el alcalde y los artesanos.

–Quiero conocer a Rothmann ya –dice Beukels de pronto.

Al alcalde y a los miembros de las asociaciones gremiales les sorprenden los humos del recién llegado.

–No es posible en este momento –dice el gordo Knipperdolling, adoptando de pronto un aire circunspecto. Bernd está escribiendo y nadie puede molestarlo. Él sale cuando lo considera oportuno.

Lo que sí considera oportuno el gordo es hacerle un panegírico de Rothmann. Le dice que Bernd es un teórico, un orador, que a él lo que le gusta es leer, meditar sobre la lectura y explicar a la gente el sentido de las Escrituras. La cuerda de su entendimiento está siempre tensada; jamás la relaja, ni siquiera para volver a tensarla. No pueden pedirle además que organice la sociedad y que se ocupe de las pequeñeces y esclavitudes de la vida diaria.

Mientras simula escucharlo, Beukels se lo imagina fornicando.

En ese momento se abre la puerta y aparece un tipo no demasiado alto, pero muy flaco, con una larga barba hasta el pecho, y vestido con un simple hábito talar de color pardo. No hace falta que nadie lo presente; es Bernd Rothmann. Beukels, que tiene muy interiorizada la organización jerárquica, se pone en pie.

–Bernd, soy Jan Beukels de Leiden. El profeta Mathijs ha oído hablar de ti, de tus obras, y me ha enviado desde Amsterdam a darte su bendición.

Lo malo de intentar restituir el cristianismo es la cantidad de locos que se apuntan. Esto es lo que, con otras palabras obviamente, piensa Bernd Rothmann, que sonríe. Y siente no conocer al profeta Mathijs de Amsterdam. Eso es lo que dice.

—El profeta Mathijs y yo mismo —aclara Beukels— somos discípulos directos del maestro Hoffmann.

—¿Discípulos de Hoffmann? —pregunta Bernd—. ¿Del mismo Hoffmann al que acaban de encarcelar en Estrasburgo por haberse equivocado en la fecha del fin del mundo?

Se oyen algunas risitas. El gordo Knipperdolling está encarnado. La pregunta no está hecha con sorna, así que Beukels tiene que comerse la ira y reconocer que lo que dice Bernd Rothmann es cierto. El maestro Hoffmann está preso por haberse equivocado en el cálculo del Apocalipsis. Trata de explicar sin embargo que no es que se equivocara de fecha, sino que hubo un fallo en la interpretación de las operaciones aritméticas sugeridas en la Biblia, ya que en el Antiguo Testamento se usaba un cómputo de días...

—Jan —le corta Bernd—, nosotros no creemos que el fin del mundo esté cerca.

—Ah ¿no?

—No. Nosotros nos conformamos con algo más modesto. Nos conformamos con restituir la primitiva pureza del cristianismo y con despojarla de sus grotescos disfraces. Nosotros no queremos destruir nada, solo queremos mejorar lo que hay aplicando las reformas apropiadas.

Qué desilusión, piensa Beukels al salir del ayuntamiento. Resulta que este Rothmann aparte de ser un mentecato es un moderado; el tipo de reformista más partidario de la paz que de la Gloria de Dios, y que a la postre acaba siendo más perjudicial que los propios católicos. Un blando. Camina decepcionado por las calles de Münster cuando las palabras de un predicador espontáneo lo detienen.

–Los católicos tratan de desprestigiarnos diciendo que somos innovadores, pero los innovadores son ellos. Son ellos los que han creado nuevos ídolos y supersticiones. Nosotros no nos conformamos con reformar las indulgencias, las peregrinaciones, la confesión, los votos y la misa. Nosotros queremos barrerlos de la faz de la tierra porque son la génesis del mal.

Le gusta. Tiene sangre. Es de su misma edad y predica con énfasis y convencimiento.

Ahora está preguntando a voz en grito qué religión es esa que venera a santa Águeda con los senos cortados, a santa Martina con el rostro destrozado por garfios de hierro, a san Terencio con la lengua cortada y arrojada a los perros, a san Bartolomé despellejado, a san Vital enterrado vivo o a san Erasmo con los intestinos fuera. A Dios se va por otros caminos, se va en línea recta, a través de la Biblia, dice. No se necesitan curas, ni papas, ni iglesia, ni imágenes, ni figuras. Hay que destruir todas las vírgenes y todos los santos. Pero cuando dice destruir no lo dice en sentido metafórico. El tiempo de las metáforas ha terminado. Cuando dice destruir lo dice en sentido literal. Hay que darse prisa para restituir cuanto antes la autenticidad de Cristo. Y lo primero, viene a decir, es expulsar inmediatamente a los mercaderes del templo. A empujones si es necesario.

Cuando termina de predicar, Beukels se acerca a él y se presenta. Beukels, Jan Beukels de Leiden, anabaptista, embajador del profeta Jan Mathijs, que lo ha enviado a Münster para comprobar si la ciudad es o no es la nueva Jerusalén.

El joven predicador se llama Heinrich Krechting, lo saluda con simpatía, se interesa por él y lo invita a comer. Heinrich le pone al corriente de lo sucedido en Münster, le habla de las esperanzas que los católicos tenían puestas en Bernd, de su llegada cinco años después en loor de multitud, de su célebre predicación en la catedral, de la caída en desgracia del obispo Frederick, del entusiasmo de la gente y del apoyo incondicional que todo el pueblo le ha prestado a Rothmann.

Muy sutilmente, Beukels deja caer por aquí y por allí que Münster le parece un pueblo demasiado festivo para los tiempos que corren y Rothmann un hombre demasiado moderado para el enemigo que tienen enfrente. Beukels lo ve, cómo decirlo, demasiado proclive al diálogo y al entendimiento.

–Los católicos –dice– nunca han estado interesados en la religión. Lo espiritual les resulta ajeno. A ellos sólo les preocupa el poder. Lo que llaman fórmulas de entendimiento o acuerdos de paz no son más que prórrogas de su dominio, un dominio que se resisten a perder. ¿Estás de acuerdo conmigo, Heinrich?

–Nunca me he atrevido a decir eso tan abiertamente como tú; pero claro que estoy de acuerdo. No dudo de las intenciones reformistas de Bernd, pero a veces pienso que debería ser más radical, que no basta con reformar el culto. Que lo que hay que reformar es la vida, el mundo. Pero Bernd es un mito; no se le puede tocar. Si te soy franco, mi ilusión es fundar una comunidad auténticamente cristiana, en la que el dinero quede abolido, en la que todo sea de todos, en la que la propiedad privada y el dinero, que son el origen de toda corrupción, desaparezcan. Münster tiene una tierra fértil. Sus hombres y sus mujeres son trabajadores y generosos. Podríamos vivir de nuestro propio esfuerzo y consagrar nuestra vida a servir gozosamente a Dios. Aquí somos menos frívolos de lo que puede parecer a primera vista.

Mientras hablan pasean por la ciudad. Visitan los barrios, conversan con la gente y escuchan a los predicadores reformistas que se han hecho cargo de las diferentes parroquias. Beukels corrige su primera impresión y acaba convenciéndose de que los vecinos de Münster son más radicales que quienes los dirigen. Heinrich lo anima a quedarse, conoce a muchos que piensan como ellos, lo invita a vivir en su propia casa, pero Beukels tiene que volver a Amsterdam, donde el profeta Mathijs lo espera impaciente. Quiere saber si Dios ha elegido a Münster para levantar su ciudad tras la próxima llegada del fin del mundo.

–¿Y qué vas a decirle?

–Pensaba decirle que no; pero ahora estoy seguro de que sí.

Tras dormir un par de horas, Beukels sale esa misma noche hacia Amsterdam. Descansa lo imprescindible y, tres días después, Mathijs lo ve llegar exhausto, pero entusiasmado. El profeta escucha con regocijo el relato de la visita, que Beukels sabe condimentar adecuadamente, pero no ordena la inmediata partida hacia Münster. Antes de tomar esa decisión Mathijs quiere hablar con Melchior Hoffmann, encarcelado en la prisión de Estrasburgo. El viaje hasta allí es largo y pesado. Parte sin compañía al día siguiente y tarda más de diez jornadas en alcanzar las puertas de la ciudad. Al llegar, Mathijs no busca alojamiento; corre a la cárcel y solicita permiso para visitar a Hoffmann. Cuando lo obtiene, se postra ante él, le comunica la buena nueva y le pide consejo. Las palabras del maestro lo dejan perplejo. Me da igual lo que hagas, yo estoy en la cárcel. Por mí, le viene a decir, como si te la machacas.

El 2 de enero de 1534, bajo una intensa nevada, Mathijs y Beukels se ponen en camino. Los acompaña Diara, la esposa del profeta, a quien precisamente ese día, y para colmo de males, le ha bajado la regla. Hace un frío del carajo y se refugian en una venta. Mathijs, en quien la condición de profeta se ve enriquecida por la prudencia del comerciante, ha previsto esta situación y lleva dinero. Pero Beukels va dándole vueltas en la cabeza a una idea: un profeta no puede entrar en Münster de esa guisa, solo, acompañado de su mujer y de un buen amigo. A un profeta tienen que seguirlo multitudes. Si no, nadie lo tomará en serio. Así se lo dice a Mathijs, que lo escucha asintiendo, con cara de circunstancias.

–Hay que dejarse de caballos y de ventas –decide Mathijs–; hay que ir a pie, de pueblo en pueblo, predicando, bautizando a la gente y convenciéndola de que nos siga, de que Münster es la única salvación. Y tendremos que dar ejemplo.

A partir de ese día no hay aldea que no visiten camino de Münster. Y el viaje que debió durar tres días se prolonga mucho más. Entran en los pueblos y predican el bautismo de los adultos con tal convicción que la gente suplica recibir allí mismo el sacramento. Muchos, sobre todo campesinos arruinados y cargados de hijos, lo dejan todo para seguir a este profeta que promete la llegada del *millenium*, la entrada de Cristo en Münster para implantar allí su reino de justicia e igualdad. Soldados tullidos a los que no se les permite alistarse de nuevo, prostitutas con la cara comida por la sífilis, clérigos excomulgados por delitos sexuales, nobles de medio pelo que se han arruinado, vagabundos y bandidos que de repente caen fulminados por el poder de la superstición van engrosando poco a poco aquel ejército de desesperados.

No se lo dice a nadie; pero en su fuero interno Mathijs preferiría otro tipo de gente. Beukels, que lo sorprende en varias ocasiones con la mirada ausente y el rictus amargo, adivina enseguida sus tribulaciones.

–Recuerda –le dice al pasar a su lado– que a Jesucristo solo le seguía la hez de la humanidad.

Sigue nevando. Además, los caminos están helados, lo que dificulta la marcha y convierte en una pesadilla la búsqueda de un lugar apropiado para pernoctar. Pero Beukels, convertido en intendente, siempre encuentra un refugio natural al abrigo de algún monte o en el interior de una oquedad. Las jornadas de nuestros guías espirituales y su gente son verdaderamente duras; se alimentan de raíces y coles. De vez en cuando alguien se apiada de ellos y les reparte un poco de salvado o avena. Otro día Dios pone en su camino un caballo muerto, poblado de gusanos, y hay peleas para repartirse las mejores tajadas. Beukels, que durante todo el camino resiste a base de cortezas y hierbajos, trata de que nadie pruebe aquella carne podrida. Se inventa sobre la marcha leyes y designios divinos; pero es inútil; nadie, ni siquiera Mathijs, escucha sus advertencias.

Como es de esperar, al profeta le sienta mal su trozo de carne tumefacta y se pasa varios días descompuesto. Con diarrea. Él, que siempre se ha sentido avergonzado de tener cuerpo, lleva todo el camino esclavizado por él. ¿Puede un profeta cagarse patas abajo? En una de las innumerables deposiciones reconoce, por debajo de los retortijones, los síntomas de una crisis de fe semejante a la que sufrió años atrás con el asunto de la transubstanciación. Tras bajarse las calzas a toda prisa y evacuar con alivio el contenido de su vientre, se pregunta qué pasaría si en Münster tampoco sobreviniera el fin del mundo. No tiene respuesta. Los copos de nieve caen sobre sus lechosas nalgas. Los siente deshacerse al entrar en contacto con la tibia carne de su culo.

El viaje es aún más incómodo para Diara y para otras mujeres a quienes, como se ha dicho más arriba, les ha bajado la menstruación. Diara se encuentra con alguna hermana que también aprovecha los descansos para adentrarse entre las matas con un paño y un recipiente lleno de nieve. En uno de estos apartados higiénicos conoce a Úrsula, una campesina que le descubre la riqueza escondida del reino vegetal. Durante aquellas semanas de viaje Úrsula le enseña a cocer ortigas y a distinguir las semillas más nutritivas. Pero las plantas no sólo sirven para el sustento del cuerpo. Sirven también como alimento del alma, para invocar al Espíritu Santo, o lo que sea. Y son gratis. Sólo hay que saber distinguirlas. Muchas de las solanáceas y de los hongos que Úrsula emplea para sus mezclas crecen libres y sin dueño al borde del camino. Otras, difíciles de conseguir en aquella época del año, las transporta en pequeños tarros, dentro de un hatillo. En las noches más frías, cuando conciliar el sueño es prácticamente imposible, Úrsula y Diara se untan una especie de pomada hecha con belladona, beleño, acónito, opio y hachís, que las deja como muertas. Con las mentes lejos de allí, los cuerpos soportan mejor el frío.

–Y si alguna vez –le dice Úrsula poco antes de llegar a Münster– necesitas hacerle creer a un hombre que se ha convertido en pájaro o en fiera, o que se ha hecho de pronto invisible, o inmortal, dale a beber una infusión de beleño, mandrágora, estramonio y belladona, y díselo; dile que es un pájaro. Ya verás como echa a volar.

Hacia el final del viaje el profeta Mathijs se las ingenia para entregarle a su esposa una bolsa con dinero e instrucciones muy precisas. Que la entierre fuera de la ciudad, en un lugar seguro, por si acaso la aritmética vuelve a fallar y tienen que salir por piernas. Poco después entran en Münster. Los vecinos que levantan la cabeza ven una fantasmagórica procesión de seres escuálidos que anuncian, como si recitaran una letanía, el próximo fin del mundo y la necesidad de congraciarse con Dios. Son cientos de hombres, mujeres y niños sucios de barro, con los rostros afilados por el hambre y los pies infestados de sabañones. Muchos se apoyan en bastones y piden pan. Los dirige un hombre imponente, alto como un caballo y con el pelo de color rojo. Va diciendo que Münster es la nueva Jerusalén, la ciudad elegida. Asegura que quienes vivan ahí se salvarán de la destrucción que se avecina.

–Pero antes tenéis que renovar vuestro compromiso con Dios. ¡Dejad de bautizar a los niños y bautizaos vosotros, adultos! Bautizar a un niño es un acto diabólico. ¡Leed la Biblia! ¡Nada encontraréis allí sobre el bautismo de los niños! ¡Ningún mandato! ¡Bautizaos si no queréis morir para siempre!

Heinrich Krechting es uno de los que levantan la cabeza al paso de la procesión. Tras el hombre pelirrojo reconoce a su amigo Beukels, que le hace una seña para que los siga hasta la plaza de la catedral. Una vez allí, los ayuda a organizar el campamento. Hay que clasificar a los peregrinos según sus necesidades, atender a los enfermos, hay que cavar letrinas para los excrementos, hay que preparar el interior de la catedral para pasar la noche, hay que recaudar las donaciones y repartirlas entre la gente. Beukels se sube a un alto y da órdenes. Que acepten ropa, que acepten comida, pero que rechacen el dinero, que nadie coja dinero, ordena Beukels. En el dinero se esconde Satanás. Aquella consigna captura el corazón de mucha gente, que esa misma noche pide ser rebautizada.

Más tarde, mientras el profeta, su esposa y Beukels sacian, gracias a la generosidad de los vecinos, un hambre voraz y atrasada, el joven Krechting habla de Münster, de la alegría y el entusiasmo de sus gentes, que no ha decaído con las penosas cosechas; critica la avaricia recaudadora de la Iglesia católica y los privilegios políticos del obispo. Beukels toma nota mental de todos los datos y persuade al profeta para que añada a su predicación sobre el bautismo de los adultos una, digamos, adenda de carácter social.

–Ocho de cada diez impuestos van directamente a la Iglesia católica –predica Mathijs al día siguiente–. ¿Es eso lo que nos enseña Cristo? Los impuestos deberían calcularse sobre los ingresos que obtenemos cada año. No pueden obligarnos a pagar una cantidad fija aunque nuestras cosechas y negocios hayan sido un desastre. ¿Es eso lo que nos enseña Cristo? ¿Dice Cristo que cedáis a vuestros hijos para que mueran en sus guerras absurdas o para que construyan otra maldita catedral? Entonces, ¿por qué aceptarlo? La paz no puede mantenerse a costa de la justicia. ¡Nosotros no toleramos la opresión! ¡Queremos vivir en igualdad de condiciones!

Ese día el profeta Mathijs no puede atender él solo todas las solicitudes de bautismo. Beukels y Krechting, que acaba de recibir el suyo, lo ayudan en la tarea. Son miles los vecinos de Münster que desean renovar su compromiso con Dios. Durante las siguientes semanas, Mathijs predica la abolición del dinero y la obligación cristiana de ceder las propiedades a la comunidad, lo que provoca el paroxismo de la gente.

—Te preguntarás que dónde me había metido.

—Me lo imagino.

—No sé qué te imaginas, pero lo supongo. La presión para que me bautizase era cada vez más fuerte. Los heterodoxos, si se lo proponen, pueden llegar a ser tan insidiosos como los guardianes de la ortodoxia. Strapade, que era un tipo muy astuto, renunció a convencerme y consideró más provechoso persuadir a mis amigos, sobre todo a uno muy querido que se llamaba Heinrich Rol. Así que era mi propia gente, el círculo más próximo a mí, la que trataba de convencerme. Bautizarse por segunda vez les parecía la escenificación perfecta del cristianismo primitivo. Dos hombres y un río; mayor sencillez, imposible. Pero también les parecía la quintaesencia de la subversión: nada mejor que un segundo bautismo para negarle a la Iglesia católica su poder de intermediación con Dios. Estaban tan obsesionados con el bautismo que parecían frailes. Cada día se bautizaban cientos de personas, sobre todo a partir de la llegada de los holandeses. Y cuantos más se bautizaban, más regocijo sentía yo de ser uno de los pocos que no estaban equivocados. Hay que ver lo pagado de sí mismo que se puede llegar a ser. Seguía predicando como si nada y celebrando misas a las que cada vez acudía menos gente. Era obvio que aquella batalla estaba perdida y que a mí me costaba reconocerlo. Y fue precisamente en una de esas misas desangeladas cuando sucedió algo. Mi mirada se cruzó con la de una mujer. Una mujer a la que no había visto nunca. Y aquel cruce fue como una mordedura. Al principio no se nota nada, no se le da ninguna importancia, pero las consecuencias son devastadoras. Mi vista había tropezado con cientos de miradas, pero nunca había sentido ese chispazo que parece encender tu organismo. ¿Has sentido alguna vez eso?

–Alguna vez. Pero enseguida he corrido a masturbarme.

–Pues lo novedoso de este caso fue que el chispazo de aquella soleada mañana en la plaza de San Lamberto no vino acompañado del deseo de masturbarme. Todo lo contrario. Me parecía que derramar yo solo era ensuciar la imagen de aquella mujer, que empezó a crecer en mi imaginación como crece la levadura en el horno. Y no es que no me pareciera hermosa. Me pareció adorable. Pero también cándida y pura. Divina, esa es la palabra. Y la sola idea de tocarme pensando en ella me resultaba intolerable. Volví a

50

verla al día siguiente, y al otro. Y ya no te puedo asegurar si la veía con los ojos del cuerpo o con los de la imaginación. Solo sé que las cenas del Señor pasaron a un segundo plano, y que lo único que me preocupaba era verla entre la gente que aún venía a verme. Y siempre la encontraba. No era una mujer delicada que despertara en mí el instinto de protección. Más bien al contrario: tenía una intensidad carnal tan exuberante que invitaba a refugiarse en ella. Ya te digo que fue una mordedura. Traté de continuar con mi actividad habitual; pero la naturaleza es sabia: todos mis intereses sufrieron una repentina degradación. La lectura y la escritura dejaron de interesarme; lo intentaba, trataba de refugiarme en el taller, pero era inútil: la imagen de aquella mujer se me aparecía constantemente. Me seguía acostando temprano, pero tardaba en conciliar el sueño. Todo lo que no era ella se fue diluyendo, convirtiéndose en un murmullo monótono y de escaso interés. Hasta que una noche no pude más y me escapé. Fíjate lo que acabo de decir: me escapé. Como si estuviera preso. Eso dice mucho de cómo me sentía. Me sentía incapaz de sincerarme y confesar a mis amigos que me iba en busca de una mujer a la que no conocía de nada. Porque eso fue exactamente lo que hice: quitarme el hábito, vestirme con unas calzas y un jubón, y salir a hurtadillas con la esperanza de encontrarla.

La ciudad es una fiesta. El profeta Mathijs ha declarado el final de la tiranía de la letra impresa y también de la manuscrita. Libros, libros, libros, dice. ¿De

51

qué nos sirven los libros? Los papistas se han servido siempre de los libros para engañarnos. Solo hay un libro que merece ser leído. La Biblia. Ahí está todo. Lo demás es basura, mierda que hay que eliminar. ¿Leyó Jesús algún libro? Entremos en las casas y quememos los libros, quememos todo lo que tenga letra impresa. La letra impresa nos hace siervos de otros hombres, y Dios nos quiere libres. Quememos los libros, los contratos, las escrituras, los registros de la propiedad y el libro de los nacimientos; quememos todo lo que representa el mundo antiguo. Así que en cada esquina hay una pira de libros ardiendo.

Las plazas están tomadas por los vecinos, que entran y salen de sus casas. Comen, beben, cantan. Peregrinos llegados de todas partes pregonan su fe subidos en alto, como si fueran comerciantes anunciando género. Bernd recorre las calles de Münster poseído por una exaltación y una fiebre que no comprende.

–La encontré. Y te diré otra cosa todavía más increíble: aunque yo siempre la había visto de frente, la reconocí por la nuca. La encontré en la plaza de la catedral, que estaba llena de gente. Me sumergí en la multitud y de pronto vi su nuca. Supe que era su nuca. Tenía el cabello recogido en una especie de moño, pero algunos mechones caían descuidadamente a lo largo de su cuello.

A Bernd le da por pensar que ella está al tanto de su escapada y que ahora sabe que la está mirando. A partir de esta falsa premisa, todos los gestos de la mujer son interpretados por Bernd como señales dirigidas a él. La mano buscando los cabellos rebeldes para someterlos a una horquilla o la palma enjugando el sudor de la nuca tienen ahora un significado inequívoco: ven. Bernd se deja llevar por la suave marea de la muchedumbre, que lo va acercando a ella poco a poco.

–Imagínate: sentía el corazón desbocado. Tenía además el extravagante convencimiento de que ella me había atraído hasta allí, de que ella sabía que yo estaba a su espalda, y de que por lo tanto estaba esperando que yo hiciera algo, que diera el primer paso. ¡Pero yo jamás había dado primeros pasos en estas cosas! Yo era prácticamente virgen. Ese mismo año, o el anterior, había tenido mi primera y única experiencia carnal con una mujer. En Estrasburgo. Estrasburgo era entonces una ciudad muy liberal, un paraíso para los anabaptistas. Todos los días se celebraba algún debate. Alguien clavaba una afirmación en la puerta de alguna institución y esperaba ser rebatido para poder contestar. Era un ambiente bullicioso y estimulante. Allí llegaban reformadores de todo tipo, pero también hebraístas, helenistas y eruditos. Conocí a Bucero, a Capito, a Schwenckfeld, y me hice amigo de Christian Entfelder, de Hans Denck, de Hut, de Servet, de Johan Campanus y de Hubmaier. Todos ellos eran muy jóvenes y como te puedes imaginar no sólo se dedicaban al debate intelectual, sino que también visitaban tabernas y mujeres. Yo los acompañé una vez y esa era toda la experiencia que llevaba conmigo la noche que me sentí obligado a dar un primer paso. Me acerqué por detrás, y cuando estaba a un palmo de su cuerpo me pidió que la abrazara. No sabía que me hubieras visto, susurré. Pero no me había visto. Me había olido. Eso dijo: me gusta tu olor, y te reconozco cuando estás cerca, aunque no te vea.

–Un momento. Acepto que se enamorara a primera vista, acepto que saliera a buscarla una noche. Hasta ahí todo es más o menos normal. Que la encontrara en medio de aquella multitud es difícil de creer, pero lo acepto también. Que la reconociera por la nuca..., usted mismo ha dicho que es increíble, pero no quiero estropear el relato. Ahora bien, que mantuviera ese diálogo con una mujer a la que jamás había visto es un disparate.

–Toma; con otro vaso de vino todo te parecerá más verosímil.

–Eso seguro.

–No te niego que sea un disparate, pero es que en aquel momento la atmósfera era tan extraña y los acontecimientos sin sentido se habían encadenado de tal modo que aquel diálogo me pareció de lo más natural. Te he dicho que tenía la sensación de que ella me estaba esperando. Aun así, reconozco que estas palabras resultan increíbles. Sin embargo las pronunció. Y a la luz de los sucesos que vinieron después, no es difícil encontrar la explicación: aquella mujer estaba esperando a otra persona. Como te digo, todo lo que ocurrió aquella noche mantuvo una lógica interna. Una lógica disparatada, si quieres; pero una lógica. Con el tiempo, recordando lo que sucedió, he ido descubriendo matices que entonces no advertí. Claro que tú puedes preguntarme si estoy seguro de estar recordando; si no estaré más bien recreando, reconstruyendo aquel momento, dotándolo de los matices necesarios para que hoy parezca comprensible, verosímil. Es imposible saberlo; sólo puedo decirte que he traído a mi memoria muchas veces aquel encuentro en la plaza de la catedral, y que estoy seguro de que aquella mujer se quedó estupefacta cuando me oyó hablar y comprobó al darse la vuelta quién era el que había pasado las manos por delante de su vientre. Y yo, que no tenía mucha experiencia, confundí la estupefacción con el amor, la atraje hacia mí, inspiré su olor a masa de pan, a levadura fresca, y empecé a desvariar:

–¿Sabes por qué Cristo no ha extinguido en nosotros el aguijón de la serpiente?

–Bernd, las serpientes no tienen aguijón –me dijo ella.

–Lo que te pregunto es si sabes por qué Dios no nos ha dado suficientes armas para enfrentarnos a las embestidas del amor.

–Sí nos las ha dado, pero somos débiles.

–Somos débiles porque con nuestra debilidad se manifiesta mejor su poder y su misericordia.

–Y porque si no existiera el pecado, no podría existir el perdón.

–Tú lo has dicho.

–¿Y entonces por qué no quieres bautizarte?

–El bautismo es como una boda entre Jesucristo y

quienes le seguimos. El bautismo es como entregarse libremente al hombre. Es una especie de comunión, de cópula espiritual. Bautizarse, comulgar y copular es lo mismo. Es fundirse en una carne. En una boda viene el Esposo, que es el Señor Jesucristo, y por su mano, es decir, por nosotros, sus emisarios apostólicos, toma el anillo, que es el pan, y se lo da a su esposa, que es el miembro que la penetra. A continuación toma también el cáliz de vino y con él le da a su esposa su sangre verdaderamente corporal, su semilla, de tal manera que el Esposo, su sangre derramada y su esposa son la misma cosa. Él está en ella, y los dos juntos son así un cuerpo, una carne, un espíritu, flujos que se mezclan, y una pasión, una pasión que nos estremece. No sé qué estoy diciendo.

Es en ese momento, a punto de perder la cabeza, cuando Bernd advierte que asisten a una predicación. La portentosa silueta de Mathijs se levanta sobre la plataforma de madera que Beukels ha mandado construir en la plaza de la catedral. El templo se ha quedado pequeño, y muchos peregrinos todavía no han visto al profeta. Mientras grita que el fin del mundo está cerca su pelambrera parece a la luz de las lámparas más encendida que nunca. Bernd cree reconocer a Knipperdolling justo al lado del profeta pelirrojo; y algo más retrasado, a su amigo Heinrich Rol.

–¿Quién es ese hombre? –pregunta Bernd.

–Es Jan Mathijs –contesta la mujer–, mi marido.

Jan Mathijs de Haarlem había sido muy conocido primero en Holanda y luego en gran parte de Europa por sus rosquillas y sus hostias de sabores. Había heredado de su padre una humilde panadería local y en pocos años la había convertido en un próspero negocio de repostería, encargado además de abastecer de obleas a toda la diócesis. Jan se levantaba de madrugada y mientras el horno se calentaba moldeaba hogazas y dulces con la masa que había dejado preparada la noche anterior. Durante el día cocía panes y por la tarde salía a venderlos por los pueblos de la comarca. Tan ocupado estaba con su negocio que se olvidó de buscar mujer para casarse. Cuando finalmente se puso a ello había dejado de ser un hombre joven, pero no tuvo dificultades para encontrar a una muchacha dispuesta a ayudarlo en la panadería y a darle hijos. Cualquiera se hubiese sentido honrado de emparentar con el panadero. Así pues, se casó con Diara, hija de un rico labrador y mujer acostumbrada al trabajo duro del campo y al trato con animales. Diara se entregó con entusiasmo a las tareas de la panadería, pero no pudo engendrar descendencia.

Aunque al principio no faltaron los reproches, el matrimonio sepultó su frustración en el fervor religioso. Ambos eran miembros activos de la parroquia católica de Haarlem. Asistían con recogimiento a los oficios religiosos y entregaban periódicamente generosas limosnas para su Iglesia. Algunas noches, sin embargo, mientras moldeaba rosquillas o recortaba obleas agridulces en la soledad del horno, se preguntaba de qué iba a servirle tanto esfuerzo, para qué querían ellos tanta prosperidad, quién disfrutaría los beneficios de su trabajo. Y entonces sucedió. Un domingo, cuando el párroco tomó la hostia, una oblea de soja y miel al aroma de frambuesas, y dijo que aquello era el cuerpo de Cristo, Jan Mathijs no sintió el temor y el recogimiento que habitualmente se apoderaba de su espíritu en ese momento de la liturgia. Se quedó frío. Y no sólo eso: se dio cuenta de que era mentira. Lo raro es que no le hubiera sucedido antes. Hacía años que fabricaba esas obleas. Sabía de qué estaban hechas, cómo se amasaban, cuál era su punto de sal y cuándo alcanzaba la cocción adecuada. Sabía cómo se obtenían los sabores, la cantidad de guarradas que echaba. Algunas veces, incluso, había derramado accidentalmente sobre la masa. Allí era imposible que estuviera Dios.

La cosa no quedó ahí. Aunque aquel pensamiento era un pecado que debería haberle impedido recibir al Señor, comulgó como siempre. Mantuvo la hostia en la boca tratando de encontrar el fervor perdido, pero lo único que fue capaz de pensar es que se le había ido la mano en la sal y que se había quedado corto de miel y frambuesa. Le supo a pan más que nunca. Aquello no era, no podía ser la carne de Dios. Al salir no le dijo nada a su esposa. Tampoco se confesó. Y lo que más le sorprendió es que no tuvo remordimientos. Esperaba que aquello pasara, pero no pasó. Todo lo contrario: fue a más. Buscó en la Biblia algún pasaje que lo ayudara, pero en las Escrituras no encontró una sola palabra que apoyara la peregrina idea de que ese trozo de harina cocida se convertía en la carne verdadera de Dios. Y aunque la Biblia lo hubiera dicho, él no lo habría creído: su experiencia le dictaba lo contrario. Lo que le extrañaba era el tiempo que había tardado en hacer caso a sus sentidos. Por lo demás, siguió comportándose como un católico ejemplar y un panadero responsable que todos los días abastecía de pan y hostias a sus vecinos.

Por las mismas fechas en las que Mathijs perdía la fe en la transubstanciación, acertó a pasar por Haarlem un predicador itinerante de los muchos que por entonces se dejaban caer por el condado. Este se dedicaba a la compraventa de pieles y, tras cerrar una serie de tratos con los peleteros de la ciudad, Melchior Hoffmann, que así se llamaba, convocó a los temerosos de Dios para anunciarles la próxima llegada del fin del mundo.

–¡La Biblia –gritaba Hoffmann– dice que san Pablo prendió al dragón, que es el diablo, y que lo ató por mil años! ¡Los mil años ya se han cumplido, como puede verse por la depravación en la que ha caído la cristiandad! La confesión, por ejemplo. Seguro que alguno de los que estáis aquí se confiesa. ¿Cómo puede extrañarse entonces de que Dios quiera exterminarlo? ¿Cómo puede dudarlo un solo instante? La confesión es una superstición satánica. ¿Dónde dice la Biblia que haya que confesarse? ¿Dónde? En ninguna parte. En ninguna parte lo dice. No hay ni una sola palabra en la Biblia que justifique esa prerrogativa. Una prerrogativa sabréis lo que es, ¿no? Confesarse, arrodillarse frente a esos muñecos que llaman cristos, vírgenes o santos, creer que uno está deglutiendo el cuerpo de Jesucristo cuando comulga, todo eso es mierda, brujería, superstición. Tú haces obleas de sabores, ¿no? –esto lo dijo señalando a Mathijs, que había acudido por curiosidad a escuchar esta predicación, y que era muy conocido en los alrededores–. Las amasas, las cueces, las recortas, y algunas veces habrás derramado accidentalmente sobre la masa. ¿Cómo puedes entonces permanecer en silencio cuando el cura dice que eso es el cuerpo de Cristo? Tu obligación es ponerte en pie y gritar que eso es falso, que en ese trozo de harina cocida no hay Dios de ningún tipo. Los que creen en eso son los que después queman a las brujas por decir lo mismo. ¿Habéis visto alguna vez sarcasmo semejante? Tú –volvió a señalar a Mathijs–, si no has gritado con todas tus fuerzas que creer en la transubstanciación es creer en Satanás, te has convertido en su cómplice. Transubstanciación sabréis lo que es, ¿no? El mundo es un libro abierto. Dios se comunica con nosotros sin descanso. Sólo hay que aprender su lenguaje. Y cómo puedo aprenderlo, os preguntaréis. Buscad dentro de vosotros, os contesto. En vuestro interior está la respuesta.

Jan Mathijs se quedó tan impresionado con la interpelación pública de Hoffmann que cuando terminó de predicar le rogó que lo acompañara a su casa; lo invitó a cenar. Con él iba un hombre joven y rubio llamado Jan Beukels, de Leiden, que asesoraba a Hoffmann en las negociaciones con los peleteros. Beukels había conocido a Hoffmann en Amsterdam, donde tenía una próspera sastrería, pero lo había dejado todo para seguir a quien consideraba un profeta.

Lo primero que le extrañó a Hoffmann cuando entró en casa de los Mathijs es que no hubiera niños correteando por la estancia.

–No tenemos hijos.

Mathijs lo dijo con tanta pena que Hoffmann no volvió a preguntar. Le bastó aquello para darse cuenta de lo que le afligía.

–¿Tú estás casado, Hoffmann? ¿Tienes hijos?

–Sí, una mujer y quince hijos. Pero los he repartido entre mis familiares y amigos, como nos enseña Jesús. La fe no basta, hay que vivir una vida santa. La posesión de bienes nos aparta de nuestro verdadero camino. Hay que compartirlo todo; incluso la mujer y los hijos. Mírate, Jan. Te levantas por la mañana, trabajas todo el día y luego sales a repartir panes por los alrededores. Ganarás mucho dinero, pero de qué te sirve. No tienes hijos. ¿No te das cuenta de que Dios quiere ponerse en contacto contigo? Te quiere hablar. ¿Por qué no lo escuchas?

–Trato de hacerlo, pero no lo entiendo.

–Mira dentro de ti, Jan. Dentro de ti.

–Ya miro.

–¿Y qué ves?

–No veo nada. Ni siquiera creo que esas hostias que yo hago se conviertan en la carne de Cristo.

–¿Y eso te atormenta? ¿Es que no has oído lo que he predicado? ¡Dios no está realmente en la hostia!

–La eucaristía es una metáfora, no una realidad literal. La genial maniobra de los papistas ha sido borrar los sentidos figurados e interpretar la Biblia en sentido literal y en beneficio propio.

La autora de estas palabras era una persona en la que ninguno de los tres hombres había reparado hasta ese momento. Hacía algunos años que Jan Mathijs se había olvidado de su esposa, y aquellas palabras lo sorprendieron también. Jamás se le había pasado por la imaginación que Diara pudiera compartir con él sus inquietudes y sus dudas. Por su parte, Hoffmann temió que aquella mujer le arrebatara con una simple frase el protagonismo de la reunión. Solo había que ver cómo se había quedado su fiel Beukels con la teatral aparición de aquella mujer, dotada de una innegable y engañosa belleza, para advertir su poder y su peligro. Hoffmann se apresuró a borrar aquella intervención sepultándola bajo su discurso.

–La religión de los papistas es puro paganismo. ¿Qué son los santos sino los antiguos dioses paganos? Los adornos del altar, las velas que iluminan los cadáveres... Todo eso es superstición. Yo jamás he ofrecido un voto a un santo o a una virgen, jamás me he inclinado ante ellos con la cabeza descubierta, jamás me he arrodillado, ni les he besado devotamente los pies. Y de las bulas mejor no hablar. ¿Quién que no esté podrido puede aceptar la compra de pecados? ¿Qué diferencia hay entre un aquelarre y una misa para liberar a las almas del infierno? ¿Y qué me dices de los votos? Los votos son bufonadas. Simplemente bufonadas. Pero ¿cómo puede ser perfecto alguien que se complica la vida con tanta ley y tanto juramento? Cristo prohibió los juramentos. La perfección no puede estar en esos disfraces humillantes, ni en las cadenas ni en el yugo, sino en la libertad.

–Yo no veo a Dios por ninguna parte.

–Sí, sí que lo ves –dijo Hoffmann–; pero te da miedo reconocerlo. Dios no te ha dado hijos. ¿Te parece poca señal? ¿Para quién será todo lo que has acumulado? Es evidente que Dios te está invitando a dejarlo todo y a predicar en su nombre. ¿Por qué no vienes conmigo?

–¿Contigo? ¿Adónde?

–A Estrasburgo.

–¿A Estrasburgo? ¿Y qué se me ha perdido a mí en Estrasburgo?

Hoffmann pidió una Biblia, la abrió por el Apocalipsis y leyó:

–«Y he aquí que el Cordero estaba sobre el monte Sión, y con él ciento y cuarenta y cuatro mil, que tenían el nombre de su padre escrito en sus frentes».

Mathijs quedó en silencio, confundido; por lo que Hoffmann se vio obligado a ensayar una exégesis.

–Estrasburgo es la nueva Jerusalén. Es la ciudad elegida. Allí la misa acaba de ser abolida. Allí nos congregaremos esos ciento cuarenta y cuatro mil heraldos de los que habla la Biblia, allí sufriremos un sangriento sitio.

Pero aquellas palabras tampoco surtieron ningún efecto en el desconfiado espíritu de Jan Mathijs, que desde su crisis de fe en la transubstanciación necesitaba pruebas más tangibles para creer.

–Te daré datos, si eso es lo que quieres –insistió Hoffmann–. El mundo ha vivido dos mil años desde la creación y la ley. Luego otros dos mil años bajo el reinado de la ley. El reinado del Mesías debería tener a su vez una duración de dos mil años. Estamos en 1531. Quedan por tanto 469 años, a los que tenemos que restar los siete que durará la desolación final según Daniel. En total quedan 462 años para que empiece el fin del mundo. Es decir, 1993. Hasta aquí no hay ninguna duda. Pero entonces, ¿por qué dice el Apocalipsis que los dos testigos del señor, es decir Beukels y yo, profetizarán durante 1260 días? En 1989 Beukels y yo estaremos muertos. Si él y yo llevamos un año y medio predicando, profetizando el fin del mundo, eso sólo significa que queda un par de años, y no 462, para que venga el fin del mundo. El año 1532 es la fecha según mis cálculos. Si a 1993, el año del fin del mundo, le restamos 666, la cifra de la bestia, resulta 1327, una fecha pasada cuyos dígitos suman 13. ¿Qué otra fecha por venir suma lo mismo? 1534. Nosotros estamos trabajando con 1532 como último año de la Humanidad. Que después vienen dos años más, bienvenidos sean. Únete a nosotros. El fin del mundo se acerca.

–Pero ¿adónde voy a ir yo, que soy un simple panadero sin entendimiento ni cultura?

–¿Acaso crees que yo tengo estudios? El Espíritu Santo compensa mi falta de educación. Además, ser culto es un estorbo. Para la predicación es mejor tener memoria e imaginación que cultura y entendimiento.

Mathijs le prometió considerar seriamente la proposición, y en agradecimiento a sus palabras le regaló unas cuantas rosquillas. Hoffmann se despidió recomendándole que se preparara para el fin del mundo, que leyera la Biblia, y sobre todo que mirara a su alrededor, que aprendiera a interpretar los signos que se sucedían ante él vertiginosamente. A Diara ni la miró.

La visita de Hoffmann causó una honda impresión en Jan Mathijs, que a partir de aquella cena redujo su interés por el mundo exterior y comenzó a prestar más atención al interior. Pero nunca lo hubiera dejado todo para seguir a Hoffmann si aquel año las cosechas no hubieran sido nefastas y el precio del celemín de trigo no se hubiese puesto por las nubes. Mathijs apenas si compró cereal. Cocía poco pan, y el poco que hacía lo vendía carísimo para recuperar el dinero de la harina. La única hornada del día se la llevaban de madrugada las casas más ricas, así que Mathijs ni siquiera se molestaba en abrir la panadería. Hasta que un día los vecinos le echaron la puerta abajo. Saquearon el horno y le prendieron fuego. Qué culpa tengo yo del clima, gritaba Mathijs, a mí las malas cosechas me afectan como a vosotros. Es el Señor –se oyó decir, sorprendido de sus propias palabras–, que nos anuncia los desastres del fin del mundo. Pero la gente no quería cosas abstractas, sino reales. Y ellos lo eran. Los panaderos, gritaba la multitud, quieren matarnos de hambre, son unos avaros y unos usureros, son unos lobos y unos monopolistas.

Jan Mathijs y su mujer perdieron la panadería y tuvieron que huir de Haarlem porque una creciente mayoría proponía comérselos asados. Salvaron lo que pudieron, desenterraron el dinero ahorrado y huyeron a Estrasburgo, en busca de Melchior Hoffmann, que los acogió con suma alegría y los bautizó solemnemente. Corrían los últimos días de 1531. El año siguiente lo pasaron anunciando la inminente llegada del fin del mundo. Pero 1532 se desgranó monótonamente sin sobresalto alguno. Tanto habían alborotado a la población que a principios de 1533, cuando las autoridades de Estrasburgo constataron que Hoffmann era un simple charlatán, lo metieron en la cárcel por revoltoso.

El año 1533 fue muy duro para Mathijs, Beukels y Diara. Hicieron una y mil veces las operaciones algebraicas del profeta, por si hubiera habido algún fallo y el fin del mundo hubiese sido erróneamente adelantado. Pero si mil veces hicieron las cuentas, mil veces obtuvieron el mismo resultado: 1532. ¿Qué habían hecho con sus vidas? ¿Habían seguido a un loco? Mathijs nunca admitió ese supuesto, y siempre reaccionó violentamente cuando alguien habló mal de Hoffmann en su presencia. Aún quedaba la posibilidad de que el Apocalipsis se hubiese retrasado un par de años, pero aquel cálculo secundario le parecía más forzado y nunca le había convencido del todo. Por eso sintió una euforia tan intensa cuando alguien le dio la noticia de que en un pueblecito perdido de la Westfalia alemana un predicador llamado Bernd Rothmann había subvertido con la palabra el orden establecido y fundado con la bendición de Dios una comunidad anabaptista.

Antes de tomar una decisión, Beukels y Mathijs tuvieron que dirimir quién de los dos era el sucesor de Hoffmann. Y fue Beukels quien motu proprio cedió el testigo a Mathijs, que empezó a ejercer de jefe en ese preciso instante: le pidió a Beukels que fuera a Münster y que trajera información precisa sobre lo que allí estaba sucediendo.

–Lo que no habían conseguido Strapade y mi propia gente lo consiguió Diara sin mover un dedo. A la mañana siguiente me rebauticé para sorpresa de todo el mundo, incluido yo mismo.

–Es lo malo de estar por primera vez con una mujer. Asociamos el gozo con su persona, y tendemos a pensar que nadie logrará jamás hacernos sentir lo mismo. Sin darnos cuenta, todo lo que hacemos y todo lo que decimos a partir de ese momento tiene un único fin: que el foco del placer recién descubierto no se aleje de nosotros. Y somos capaces de cometer cualquier abyección para conseguirlo. Afortunadamente, a usted sólo le pidieron un rebautizo, que es algo inocente y no hace daño a nadie. Pero conozco hombres inducidos por el coito a cometer las mayores monstruosidades.

–No sé por qué te empeñas en negar a mi relación cualquier dimensión espiritual. Te aseguro que la tuvo. Yo estaba enamorado.

–No niego ninguna dimensión espiritual. Ni siquiera niego el amor. El amor, como la sed, como el hambre o la melancolía, es una reacción fisiológica; cómo voy a negarlo. Hace tiempo que me di cuenta de que el alma es algo muy real; es una parte de nuestro cuerpo.

–Pues esa constatación fue todo un descubrimiento para mí. Ven, me decía. Yo me dejaba desnudar. Ella alcanzaba un tarro con una materia pastosa, que iba untando delicadamente por todo mi cuerpo. La primera vez le pregunté qué era, y ella me dijo que eran plantas creadas por Nuestro Señor. Cuando sentí que viajaba por el espacio y por el tiempo y que mi gozo se multiplicaba por siete, dejé de preguntar. Para qué. Habíamos ocupado un antiguo palacio del obispo, que conservaba todo su lujo. Nos encerramos allí durante meses, creo, aunque puede que sólo fueran unos cuantos días. Sí recuerdo que la mayor parte del tiempo la dedicábamos al coito. Luego comíamos algo y yo dibujaba joyas para ella. Fue como si mi vida, interrumpida artificialmente cuando conocí a Frederick, aprovechase ahora aquel desorden para recuperar el cauce que nunca debió abandonar. Todo lo que había reprimido durante mi juventud bajó repentinamente como un torrente. Incluso el oficio que había aprendido de mi padre afloró, y si hubiera tenido material me habría dedicado a diseñar joyas para Diara. Pero allí, en aquel palacio, solo encontré papel y carboncillo, así que tuve que conformarme con diseñar collares, cintas, gargantillas, hebillas, pendientes y pulseras, que luego recortábamos y colgábamos de nuestros cuerpos desnudos. Recuerdo haber subido así a la azotea del palacio, vestido sólo con collares de papel, y haber contemplado Münster desde allí, al atardecer, comiéndome una manzana. Aquella sensación superó todas mis experiencias místicas o religiosas. Sentí una dicha y una plenitud absolutas. Ninguna eucaristía, ningún éxtasis se había aproximado nunca, ni de lejos, a lo que sentí yo entonces. Me sentí Dios. Pero al mismo tiempo tuve la seguridad, absoluta también, de que Münster, Diara, la manzana y por supuesto yo mismo convertido en Dios teníamos fin.

Mathijs rebautiza todos los días a miles de peregrinos. Por la noche predica. Su influencia, cada vez mayor, se ve facilitada por la extraña ausencia de Bernd. Se dice que se ha marchado a orar, como Jesucristo. Su esposa, la esposa del profeta, también ha desaparecido, pero él está demasiado ocupado y no se da cuenta. Quien sí lo advierte es Jan Beukels; pero de Beukels hablaremos luego. Mathijs, que ha entrado en Münster a finales de enero, se siente un mes después con la suficiente autoridad para anunciar que quien no quiera bautizarse será ejecutado, algo con lo que Strapade no ha soñado jamás. Este ultimátum, lejos de ser discutido, es jaleado por Rol y los demás. Incluso el gordo Knipperdolling, a quien han nombrado alcalde, sugiere establecer una fecha límite: el 2 de marzo. Como Bernd los ha acostumbrado a discutir, a pensar, a manifestarse con libertad en contra de lo que no les guste, Hubertus Ruescher dice en una de las reuniones municipales que le parece contraproducente obligar a la gente a rebautizarse. Mathijs le contesta que él ni pone fechas ni obliga a nadie; que él habla en nombre de Dios. Ruescher le contesta que es un embustero. Entonces alguien le alcanza una espada a Mathijs, y este se lleva de un tajo la cabeza del disidente.

–¿Tú crees que la gente hizo algo? Nada.

–¿Y qué esperaba usted que hiciera? A la gente le gusta que de vez en cuando se corte alguna cabeza. Ver cortar una cabeza significa que no nos han cortado la nuestra, y eso siempre es motivo de alegría. Además todos preferimos un lenguaje inteligible. No se puede ir por la vida hablando del bautismo como alianza. Bautizo o rebautizo, lo que nos gusta es la ceremonia; ver cómo alguien impone las manos sobre una persona y dice: «La gracia y la paz de Dios nuestro padre sea con todos los hombres de buena voluntad». Y si además somos nosotros los que podemos pronunciar estas palabras, mucho mejor. Por lo que usted cuenta, ese Mathijs no sólo se dio cuenta de todo esto, sino que además supo utilizar en su predicación el componente social; eso fue un acierto. En toda predicación, por muy espiritual que se sea, hay que dejar siempre un espacio para hablar de dinero. Tras el ultimátum los pocos católicos moderados que quedan en Münster y los evangélicos que no están dispuestos a bautizarse de nuevo salen de la ciudad en medio de una impresionante nevada. Al verlos, el obispo Frank de Waldeck da por clausurada la fase de los acuerdos. Quiere a ese Rothmann, quiere arrancarle la piel a tiras. Pero Rothmann está muy bien protegido por el Ayuntamiento y los gremios, y es imposible dar con él, le informan. Ninguno de los espías que los católicos han logrado introducir en Münster sabe dónde está. El obispo ordena entonces capturar al alcalde o al presidente de la asociación de gremios, pero alguien se acerca al obispo y le informa de que las cosas han cambiado mucho en las últimas semanas. Ahora ni el alcalde ni el presidente de la asociación de gremios son dueños de la situación. Ni siquiera Rothmann podría, si quisiera, aplacar los ánimos de la gente. Sus partidarios se han diluido entre los miles y miles de peregrinos anabaptistas que, procedentes de todas las partes de Europa, han entrado en Münster durante las últimas semanas. Ahora, la persona con más influencia allí se llama Jan Mathijs de Haarlem.

–¿Mathijs, el panadero? –pregunta alarmado el obispo–, ¿uno que hacía unas deliciosas obleas de sabores y unas rosquillas que estaban riquísimas?

–Sí, señor.

–Pues qué lástima quemarlo. Intentad que confiese la receta de las hostias antes de morir.

Un buen estratega es el que somete al enemigo sin luchar, el que captura una ciudad intacta sin que sus tropas se desgasten. Así que el primer paso es cortar suministros y el segundo romper sus alianzas diplomáticas y militares o impedir que las simpatías que aquellos locos despiertan en los desesperados de toda Europa se transformen en alianzas tangibles. El general Mühlen pide a Hesse, a Colonia y a Cleves, a todas las ciudades alemanas, que atajen cualquier manifestación de apoyo, que impidan las peregrinaciones a Münster. Durante algún tiempo consiguen frenar el entusiasmo, pero algunos grupúsculos residuales rompen el cerco. Son tan audaces, o tan mentecatos, que se acercan a las puertas de la ciudad con la intención de entrar en ella. Sus hombres, los hombres de Mühlen, tienen órdenes expresas. En esta campaña el obispo no quiere cautivos, así que los soldados descuartizan a los peregrinos y lanzan sus miembros al interior de la ciudad para minar la moral de los sitiados.

Así pasan las semanas, pero Münster no cae.

Mühlen considera por primera vez la posibilidad de un ataque. Atacar una ciudad es siempre la última posibilidad. Es preferible rendir al enemigo por hambre que por fuerza. Pero rendirlo por hambre requiere tiempo, y el tiempo, la espera y la impaciencia de los soldados pueden convertirse en enemigos aún más temibles que el ejército contrario. Se necesitan al menos dos semanas para transportar el material, y otras dos para montar las máquinas y preparar las escalas. El general valora la situación, oye opiniones y, finalmente, toma una decisión.

Los preparativos llevan un mes largo. Para luchar contra la impaciencia ordena hacer ejercicios. Para comprobar que no hay infiltrados ordena formar de improviso. Para mantener la disciplina se doblan los esfuerzos, las esperanzas y las recompensas. En Münster hay gente muy rica, hay chicas muy guapas. El obispo lo presiona. Le ha ordenado estudiar la estrategia más adecuada para que en Münster no quede piedra sobre piedra. El obispo no entiende una campaña tan larga. Por favor, Mühlen, no estás luchando contra un ejército regular, sino contra cuatro desharrapados. Aparentemente, un ejército bien preparado ha de salir victorioso frente a un enemigo militarmente inferior, de acuerdo, pero no siempre es así. Aunque un ejército sea más poderoso, es muy probable que salga derrotado si ignora o menosprecia al enemigo. De modo que el general Mühlen resiste las presiones; sabe que su obligación es no dejarse llevar. Lo más fácil para él sería ordenar un ataque inmediato. Pero eso significaría la pérdida de un tercio de sus hombres, y además no garantizaría la victoria. Un general nunca ordena una carga si el combate no es estrictamente necesario o si la estrategia aún no está suficientemente preparada.

–Mientras tanto nosotros seguíamos viviendo debajo del agua; en un lugar donde los cuerpos y las cosas del mundo pesaban la mitad...

–Y un buen día ella le dijo a usted que quería salir a la superficie, que le faltaba el aire, que no podía seguir sumergida mientras Münster preparaba la restitución del cristianismo.

–¡Pero si el cristianismo ya lo hemos restituido tú y yo!, le dije.

–¿Y ella qué le contestó?

–Tuve la sensación de que esa broma, que unas semanas antes le había hecho reír, le producía ahora una repugnancia insoportable.

–Cuando estamos con una mujer y de repente ella, que hasta ese momento solo ha necesitado alimento, líquido y coito, siente la llamada imperiosa de Cristo, la urgencia de ser útil, la necesidad de entregarse a una causa, la exigencia de comprometerse, y le resulta insoportable la idea de permanecer quieta, aunque en realidad no hayamos hecho otra cosa que movernos, si eso sucede, tenemos que empezar a pensar que hemos perdido todo el atractivo que alguna vez tuvimos a sus ojos. Y si además de eso han dejado de hacerle gracia nuestros chistes, entonces es que le damos asco.

–No sé si Diara sintió asco. Estás juzgando su comportamiento según me afectó a mí. A veces, cuando sufrimos los efectos de un acontecimiento, tendemos a considerarnos causas de ese hecho. Y puede que no seamos más que circunstancias.

–Lo que usted diga. Pero el caso es que se marchó del palacio, ¿no?

–Iba y venía. Me ponía al corriente de los acontecimientos. Ten en cuenta que habíamos desaparecido cuando Münster estaba en plena fiesta y aparecíamos cuando la ciudad se preparaba para la guerra.

Aunque Münster está muy bien fortificada, los vecinos refuerzan sus defensas. Los que tienen experiencia enseñan a las mujeres y a los niños el manejo de las armas; y entre todos construyen un túnel subterráneo que permite sortear el cerco, enviar emisarios y acumular provisiones. Se confiscan todos los bienes; se prohíbe el dinero; los alimentos son públicos; el trabajo, de todos; los contratos son destruidos y queda abolido todo tipo de escritura.

–¿Tú crees que alguien me echaba de menos? Nadie. Lo digo sin resentimiento. Para mí la ascensión de Mathijs fue una auténtica liberación. Diara insistía en que yo tenía que seguir escribiendo, en que todo el mundo necesitaba mi orientación espiritual; pero lo cierto es que los acontecimientos me habían superado. Yo me había convertido en clase de tropa.

–Hagas lo que hagas, la gente te acaba olvidando. Tanto si eres un ángel como si eres un cabrón.

–Al principio me quedé solo en el antiguo palacio. No leía, no escribía y trataba de no pensar. Lo único que hacía era untarme las pomadas de Diara y volar. Supongo que tenía la esperanza de que volviera a sumergirse conmigo, cosa que no sucedió. Nos veíamos poco, cada vez menos; la restitución y la preparación de Münster para el combate la tenían muy ocupada. Así que cuando comprendí que Diara había regresado definitivamente al lado de Mathijs, yo volví a mi rutina habitual: a madrugar, a leer, a tomar notas, a reflexionar, a escribir y a imprimir panfletos que encontraban salida y distribución por el túnel que habían excavado.

A veces llueven miembros. Alguien está como él ahora, haciendo guardia en la puerta sur, pensando en sus cosas, cuando de repente ve caer un tórax. Sí, un tórax. Sin cabeza, sin brazos y sin piernas. Otras veces cae un pie, una cabeza partida por la mitad, el vientre de una mujer preñada o una lluvia de dedos meñiques. Nunca, desde que él es centinela, ha llovido un hombre entero. Siempre son cachos. Arnold Krug ha informado al profeta, pero a Mathijs le parece natural; dice que son los primeros signos del Apocalipsis, que no se preocupe, que ellos están a salvo. Así que Arnold no se preocupa; se limita a recoger los trozos que han llovido y a echarlos al otro lado de la muralla, donde las tropas del obispo Waldeck están acampadas. Desde hace un par de semanas no dejan entrar ni salir a nadie, pero tampoco dan muestras de querer atacar la ciudad. Al menos por el momento. Arnold ha colocado un dispositivo de poleas que le permitiría tocar desde su puesto las campanas de la catedral en caso de ataque. Pero Arnold, que ha sido soldado del emperador mucho tiempo, sabe que no van a atacar porque no ha habido escaramuzas. Si no hay escaramuzas, no hay batalla. Las escaramuzas son imprescindibles para conocer al enemigo. Hasta el general más inepto sabe que no se debe pelear contra un ejército desconocido. Aunque parezca más débil.

Mühlen está ultimando los preparativos y estudiando las costumbres de los sitiados antes de lanzar el primer ataque. Sabe por sus espías que de vez en cuando celebran misas en la plaza de la catedral, que beben vino hasta confundir la intoxicación con el éxtasis. Su plan consiste en aprovechar estas relajaciones. Un día, a la caída del sol, cuando calcula que todos están borrachos, ordena a unos cuantos hombres atacar las murallas. Entran sin resistencia en el primer anillo de fortificaciones. Cuando creen haber sorprendido a la defensa enemiga, bajan la guardia. En ese momento estalla un fuego cruzado de artillería y mosquetes. Los hombres de Mühlen se ven de improviso indefensos y desconcertados bajo una lluvia infernal de cal viva, flechas y trapos untados con brea ardiente. El general ordena la retirada. La reacción de los sitiados ha sido notable. Es evidente que allí dentro hay conocimientos estratégicos. No están tan desamparados. Alguien ha diseñado una defensa previendo una ofensiva inminente.

El profeta Mathijs celebra aquella pequeña victoria como si hubiera ganado la guerra. Solo Arnold Krug sabe que aquello ha sido una simple refriega, una toma de contacto, una embajada de presentación. Pero Mathijs está eufórico, fuera de sí. Dice que además de profeta, que además de hablar directamente con Dios, él es un pájaro, una fiera, un ser maravilloso capaz de hacerse invisible. Dice también que es capaz de volar. Saldrá él, solo, y espada en mano acabará con el ejército del obispo. Lo curioso es que nadie de los que le rodean, ni Diara, ni Beukels, ni el gordo Knipperdolling, intenta que el profeta Mathijs entre en razón.

Hay un episodio sorprendente que el general Mühlen sigue sin entender. Sucede una hora después de la escaramuza. Sus centinelas dan la voz de alarma: la puerta principal de Münster se está abriendo de par en par. Al general Mühlen se le encoge por un momento el corazón. Tal vez no ha calibrado bien el poderío militar de la ciudad, piensa. ¿Y si ahora sale un ejército armado hasta los dientes y les planta batalla en su propio campamento? Toque de combate. Sus hombres apenas tienen tiempo de organizarse y formar. Las puertas permanecen abiertas, pero no sale nadie. Durante un instante todo queda en silencio. Hasta las bestias parecen aguardar acontecimientos. El general Mühlen y sus hombres esperan una estampida, pero lo que sale por la puerta principal es un hombre a caballo. Vocifera. Tiene el pelo rojo. En la mano derecha lleva una espada levantada. Mühlen otea la situación desde una loma cercana. Si lo que ve a través del catalejo es cierto, ese hombre está embistiendo contra la primera línea de su ejército, que lo ve llegar incrédula. No hay duda, es un solo hombre. La puerta principal de Münster vuelve a cerrarse.

Beukels tarda muy poco en tomar el gobierno como legítimo heredero de Mathijs. Nombra a doce hombres de confianza, entre ellos a Rol y a Strapade, a los que llama Ancianos Jueces de las Tribus de Israel, y jerarquiza aún más la organización de Münster para evitar problemas de orden público. Knipperdolling sigue en su puesto de alcalde. Algunos vecinos protestan y lo acusan de ser un enemigo de las libertades individuales. La comunidad es mucho más importante que los individuos que la componen, responde él. Es mucho más fácil alcanzar a Dios si habéis dejado atrás vuestro propio interés; sustituid vuestro egoísmo por una actitud generosa y no os costará obedecer sus mandamientos. Algunos le preguntan por qué es tan importante la obediencia. Pareces un católico, le dicen. Para formar una congregación la obediencia es básica. Si cada cual hace lo que le da la gana, mejor será ahorrarnos el sufrimiento y abrirle las puertas al obispo. ¿Es eso lo que queréis? Como no es eso lo que quieren, aceptan la promulgación de leyes muy estrictas, que buscan el beneficio de la comunidad en perjuicio de los derechos individuales. Lo importante es preservar la nueva Jerusalén. Se castiga la blasfemia, el lenguaje sedicioso, la desobediencia, la murmuración y la queja. La crítica, la disidencia, cualquier comportamiento que fomente el desorden se penalizará con la muerte. Heinrich Krechting se convierte en el apóstol predilecto del nuevo profeta. Ah, y también se anuncia su boda. La boda del profeta. Todos los vecinos están invitados al enlace de Diara Mathijs con Jan Beukels de Leiden.

–Sé lo que estás pensando. Que Diara era una mujer sin escrúpulos, atraída no por este o por aquel hombre, sino por el poder que cada uno de ellos ostentara en cada momento.

–Es usted el que ha contado la historia insinuando que Diara enloqueció a su marido. Yo no he dicho nada.

–Bueno, eso lo pedía el relato. Lo que creo es que Diara y Beukels se amaban desde hacía mucho tiempo. También estoy seguro de que Beukels respetó siempre a Mathijs, y de que no dio jamás ningún paso mientras Diara fue la esposa legal del profeta. Yo soy un episodio imprevisto y marginal, un potrillo que aparece de pronto y zas. Y sospecho que aquella noche en la plaza de la catedral, cuando yo me acerqué por detrás a Diara, ella en realidad esperaba a Beukels. Llegué a esa conclusión viéndola exultante el día de su boda con el nuevo profeta.

–¿Fue usted a la boda?

–Claro que fui. ¿Conoces tú a algún amante despechado que no aproveche cualquier oportunidad para hacerse daño y para hurgar en la herida? Esa actitud forma parte del dulce castigo. Y la verdad es que la boda fue espléndida y me ayudó mucho a sentirme miserable, que era lo que buscaba. Si alguna vez estás melancólico y te apetece profundizar más en tu miseria, intenta acudir a un festejo. El contraste entre tu estado de ánimo y la alegría ajena te hunde mucho más. Es infalible. Se mataron cincuenta cabritos. Se abrieron toneles y toneles de vino. Se construyeron enormes bancos corridos, que colocaron a lo largo de la plaza. Los vecinos permanecíamos sentados, y eran Beukels, Diara, Knipperdolling, Rol y Krechting quienes nos servían a todos. Así parecía que eran los vecinos de Münster, nosotros, quienes realmente teníamos el poder y controlábamos la situación. Esta farsa fue cosa de Krechting, que era un tipo listo. Enseguida se dio cuenta de su efectividad, y desde aquella boda no pasaba una semana sin que se organizase alguna celebración para que los jefes hicieran de camareros.

Krechting idea además los ataques relámpago. Un grupo de hombres sale por sorpresa y mata a un soldado católico o roba en alguna tienda del campamento. La función de estas ofensivas no es hacer daño al enemigo, sino conseguir algún botín: armas o, mucho más eficaz, la cabeza cortada de alguien. La gente se vuelve loca con las cabezas cortadas de los católicos. Se cuelgan de la catedral y ya hay un motivo de celebración. Lo importante es mantener a la gente entretenida con música, bailes y recitaciones. Eso sube la moral y mantiene a todos unidos.

–Y cuando ya no se les ocurrieron más acontecimientos que festejar, Beukels y Diara se proclamaron reyes de Münster. Así, como suena. Aquella celebración no tuvo nada que envidiar a la que se organizó en Bolonia cuando Carlos fue coronado por el papa emperador de la cristiandad. Algunos venían a mí escandalizados, rogándome que alzara la voz, que dijera que era una locura desaprovechar de ese modo las provisiones que entraban por el túnel secreto. Hubiese sido inútil; la mayoría de la gente estaba con Beukels.

Mühlen no se explica cómo una ciudad sitiada resiste tanto tiempo sin suministros. O tenían almacenado más de lo que él ha calculado o han conseguido romper el cerco por algún punto. Mühlen da la orden de aumentar en varias leguas el radio de la circunferencia que rodea Münster. Han transcurrido cuatro semanas desde la fantasmagórica salida de aquel hombre solitario. Su cabeza, insertada en una pica, aún se exhibe en la plaza del campamento. Aunque deformada por el sol y los picotazos de los cuervos, los espías la han reconocido. Es Mathijs, el profeta. Así que el primero en morir resulta que es el jefe enemigo. Militarmente hablando, el general Mühlen no entiende nada. La guerra también tiene sus reglas. Y en las estipuladas para aquella situación todos los teóricos recomiendan lo mismo: ante un ejército superior, el ejército inferior debe garantizarse una vía de retirada. Pero aquella gente no sólo tiene cerradas todas las vías de escape, sino que se comporta de un modo deplorable, violando lo que podríamos llamar la etiqueta militar. Salen por sorpresa, en pequeños comandos, causan una o dos bajas y regresan a la ciudad con las pertenencias de los soldados muertos. Eso va en contra de la caballerosidad militar, desde luego; pero también de sus propios intereses. No se puede vencer a un ejército con esa táctica. Así lo único que se consigue es alimentar el odio del enemigo, provocarlo para que en la batalla final él tampoco respete las normas establecidas.

Estos ataques imprevistos minan la moral y les obligan a permanecer en tensión, con los consiguientes conflictos internos. Las peleas entre sus hombres empiezan a ser frecuentes. El general Mühlen prevé que lo que debería ser una simple capitulación, una rendición incondicional, provocada por su evidente superioridad, se va a convertir en una masacre cuando ordene entrar en la ciudad. Aquellos cicateros ataques a traición, por las noches, sin otro objetivo que la muerte por la muerte, es algo que un soldado profesional ni entiende ni perdona. Están despertando a la bestia.

Cuando le comunican que una patrulla acaba de descubrir un túnel de abastecimiento, maldice su torpeza y le avergüenza no haber caído antes en esta posibilidad. A partir de ahora, cerrado el paso de provisiones, todo se acelera. No tardan en aparecer los primeros desertores. Dos muchachos, Eck y Gresbeck, se tiran desde lo alto de la muralla y se rompen las dos piernas. Alguien avisa a Mühlen, y este se apresura a entrar en la tienda de los cautivos. Comprobaciones previas, interrogatorio de rutina, y enseguida una exhaustiva recogida de información. Los desertores parecen sinceramente dispuestos a terminar con aquella locura. El estado de la intendencia, dicen, es malo. Aunque todavía no puede hablarse de hambre, los alimentos escasean y hay políticas de racionamiento que han producido las primeras manifestaciones de descontento. Para el general Mühlen esto es sin duda una buena noticia. El general quiere saber el nombre del oficial que ha preparado la resistencia. Knipperdolling. ¿Quién ordena los ataques relámpago? Krechting. ¿Quién está al frente de todo? Un tal Beukels, le dicen, Jan Beukels. ¿Beukels? No le suena. Es un aprendiz de sastre, le indican. Conque un aprendiz de sastre, eh. Sí, un comerciante que nunca ha tenido demasiados clientes y que ahora se ha hecho coronar rey de Münster. ¡Rey de Münster nada menos! Mühlen se ríe. Sí, va por las calles con una corona y un cetro de latón, envuelto en un manto de armiño; se ha casado con la mujer del profeta Mathijs y ha declarado obligatoria la poligamia.

Las cosas empeoran vertiginosamente. Los víveres se agotan y aparece el hambre. Los católicos han desviado el río. Aunque en Münster hay pozos, se hace necesario racionar el agua. Brotan también los primeros locos, que, creyéndose héroes del Antiguo Testamento, salen como Mathijs a destruir al enemigo. Las escaramuzas son cada vez más frecuentes. Las bajas anabaptistas empiezan a ser notables, y las deserciones también. Para elevar la moral de los hombres, Krechting sugiere legalizar la poligamia. Cree que con eso será suficiente para pasar el invierno sin mucho desorden. Beukels acepta. La nueva ley obligará a todos los jóvenes a contraer matrimonio. Las mujeres tendrán que aceptar la primera propuesta que reciban, y los hombres podrán hacer cuantas deseen.

–No es que yo quiera defender a un tipo como Beukels, pero en aquella ley no só lo había intención de elevar la moral; había también un intento sincero de imitar a los cristianos primitivos, que lo compartían todo, incluso las mujeres.

Pero la decisión de legalizar la poligamia es el principio del final. Ni siquiera los anabaptistas más radicales se sienten capaces de aceptar algo así. Y menos aún las mujeres. Muchas huyen de Münster con sus hijos aprovechando un descuido de Arnold Krug. Pero las tropas del obispo ya no reciben a los desertores con los brazos abiertos, como han hecho con Eck y Gresbeck. El general Mühlen no puede impedir, ni quiere, que los niños sean descuartizados ante sus madres y que luego estas sirvan de divertimento a la resentida tropa. Tras ser violadas por decenas de hombres enloquecidos, algunas son salvajemente mutiladas o desfiguradas y obligadas a volver a Münster para dar testimonio de la verdad a sus polígamos compañeros. Un grupo de hombres, creyendo que cuenta con el apoyo de la mayoría, apresa a Beukels.

–No era difícil hacerlo. Beukels y Diara se paseaban entre sus súbditos y se comportaban como si fueran esclavos de la gente corriente, lo que sin duda les infundía mayor grandeza.

Aquellos hombres quieren que los Ancianos Jueces retiren la ley de la poligamia. Contra todo pronóstico, pero debidamente espoleado por Krechting, todo Münster se planta frente al ayuntamiento para pedir que dejen libre al profeta de la nueva Jerusalén. Los rebeldes no tienen más remedio que soltarlo.

–¿Y qué pasó con ellos?

–Dios se ocupó de sus cuerpos. Aparecieron al día siguiente colgados de una encina, cabeza abajo, con las tripas devoradas por los cuervos.

Durante todo ese año la gente se muere de hambre literalmente. A duras penas consiguen llegar a la primavera. Con el consentimiento de Beukels, Krechting ha endurecido la disciplina. La vida se ha convertido en algo insufrible. Ya no hay fiestas, ya no hay bailes, ya no hay conmemoraciones que disimulen la escasez de víveres y las primeras enfermedades por desnutrición.

–El 25 de junio de 1535, el mismo día que yo cumplí veinte años, las tropas del obispo entraron en Münster por sorpresa. Alguien debió de abrirles las puertas. Irrumpieron en las calles sin piedad. No querían prisioneros, salvo que se tratara de los cabecillas. Algunos desertores acompañaban a los soldados para poder identificarlos. Durante doce horas la ciudad fue saqueada. Había órdenes de matarnos a casi todos, pero no a todos. El obispo necesitaba testigos que propagaran a los cuatro vientos la insoportable crueldad de sus soldados, cómo eran capaces de atar las extremidades de un hombre a cuatro caballos y a continuación hacerles salir de estampida. A Beukels, a Knipperdolling y a Krechting los capturaron y los encerraron en jaulas que alzaron hasta lo más alto del campanario de la iglesia de San Lamberto. Dicen que Beukels quiso negociar con los católicos, que se ofreció para abjurar de todo si le perdonaban la vida. Pero que le cortaron la lengua para que los dejara tranquilos. No sé si será verdad.

El obispo contempla desde sus aposentos privados una columna de humo. Eso es lo que queda de Münster. Su Ilustrísima tiene un particular empeño en que la gente vea a los cuervos picotear los nutritivos ojos de los hombres extenuados, pero conscientes, que osaron rebelarse contra Dios, y que han terminado convertidos en carroña. A uno de ellos, que presenta las cuencas vacías por la patada de un soldado, se le practica un corte en el abdomen para que las aves también acudan a él atraídas por el aroma de su paquete intestinal. Cualquiera que levante la cabeza hacia el campanario de San Lamberto puede contemplar su agonía.

Cuando mueren, se les deja al sol durante meses. Sus cuerpos secos como pergaminos de cabra son finalmente descolgados y exhibidos de pueblo en pueblo por toda Alemania.

–Otro día, si quieres, te cuento cómo logré escapar.

–¿Escapar? Usted no logró escapar. A usted lo mataron.

Tipos

Siente el primer pinchazo justo al salir de Lyon. Es un dolor breve pero intenso que le hace gritar. El coche se detiene en seco, pero él ordena proseguir la marcha. Debería descansar algo más y comer mejores alimentos, hacer algo de ejercicio. El movimiento moderado aumenta el calor natural y hace expeler todas las enfermedades. El calor gasta lo superfluo, él lo sabe bien. Aunque también puede ser que la simple perspectiva de ver a Palmier y de tenerle que guardar el debido respeto le ponga mal cuerpo. La naturaleza es sabia y se rebela cuando alguien la violenta. Afortunadamente, no tiene que verlo con frecuencia. Ya lo ha visto muchas veces. Ya sabe de qué pie cojea. No es solo que le haya robado el puesto, que lo haya difamado a sus espaldas para hacerse con el arzobispado de Vienne; es su manera de pensar lo que le pone enfermo. Palmier es de los que creen que hay que espetar a los ladrones, quemar en ácido a los parricidas, cortar la cabeza a los asesinos y perdonar a los herejes. Los herejes no son criminales, sino enfermos a los que hay que curar. Y lo peor es que el cardenal Tournon, que siempre ha sido inflexible, se está ablandando bastante desde que visita a Palmier. Claro que él seguramente diría lo mismo instalado en aquel palacio, dando largos paseos por los montes Salomón o Pipet, degustando frente a la ribera del Ródano el vino que siempre ha declinado beber y los manjares que nunca ha probado. ¿Que por qué no come ni bebe en Vienne? Porque él es un hombre de principios, y los hombres de principios no comen en la mesa de mamarrachos como Palmier, que pontifican de oídas a favor de los herejes, pero que se cagan encima cuando topan con alguno.

Hay que bajar a las mazmorras como baja él todos los días para darse cuenta de que la herejía es el crimen más bestial, mucho más monstruoso que el matricidio. Porque la herejía no solo rompe los vínculos de la sociedad civil como cualquier delito; destruye también las almas. Las destruye para siempre. Así que Matthieu Ory no entiende por qué deben perdonar, o curar, como dice Palmier, a esas bestias luteranas capaces de cometer atrocidades infinitamente más crueles que las de un simple asesino de cuerpos. «Oblígalos a entrar», dice el Evangelio. Y eso hace él, ni más ni menos, obligarlos a entrar por el aro, mancharse, mientras Palmier viaja de aquí para allá, hablando con este, con el otro, de pintura, de música y de literatura.

Para Matthieu Ory la Iglesia no puede quedarse al margen de la sociedad; tiene que entrar de lleno en ella, modificarla, mejorarla poco a poco, influyendo en las decisiones de los gobernantes. A él no le importa que lo difamen por predicar en el lodazal del mundo, ni hace caso cuando los teólogos de porcelana como Palmier arrugan su naricita molestos por el olor y lo acusan de haberse manchado de mierda o de haberse alejado de Jesucristo. Sabe que si se queda en casa rezando y admirando la grandeza de Dios será igualmente criticado por ellos: dirán de él que es un parásito, un fetichista pagano que adora al anticristo. Para Matthieu Ory las bulas, las indulgencias, el culto a los santos, todo lo que Palmier y sus refinados amigos critican por hipócrita e inútil es la base del orden social, de la paz. Y los hipócritas son ellos, que beneficiándose de este orden y de esta paz critican el instrumento. Ory considera al arzobispo Palmier un clérigo ingenuo y débil, es decir tonto. Y un clérigo tonto es alguien extremadamente peligroso, susceptible siempre de ser contagiado o engañado en su buena fe.

Aunque desde Lyon a Vienne solo hay una jornada, el viaje se le hace interminable. El dolor, que se acentúa con el traqueteo, le obliga a ir en cuclillas dentro del coche. La postura es muy incómoda y en varias ocasiones manda detener la comitiva para estirar las piernas al borde del camino. Cuando finalmente llega al palacio, el sol ha iniciado su descenso.

Tournon y Palmier lo esperan hablando de poesía en ese mirador desde el que se domina la ribera del Ródano. El cardenal lo saluda con cordialidad; el arzobispo con frialdad, con marcada distancia, pero con cortesía. Le ofrece asiento. Declina. Le ofrece vino. Declina. Le ofrece frituras. Declina. Tournon le dice que tiene mala cara, y él confiesa que no se siente bien, pero no quiere decir qué le duele. Tournon le pregunta a Palmier si es posible llamar a su médico particular, a quien elogia largamente. Este médico tuyo es tal, este médico tuyo es cual. Palmier no tiene inconveniente en llamarlo, debe de estar en palacio. Se levanta y se dispone a hacerlo cuando Ory dice que no lo necesita, que ya se siente mucho mejor, que lo que necesita es saber cuanto antes qué es ese asunto que no puede esperar el regreso del cardenal a Lyon.

–Se trata de un libro –explica Tournon–, de un libro peligroso que no quiero dejar en manos de cualquiera. Quiero que me traigas a su autor.

–Más práctico hubiera sido establecer desde el principio un control en las imprentas. No es lógico que cualquiera pueda comprar maquinaria, abrir matrices y publicar lo que le venga en gana.

Al oír las palabras de Ory, Palmier se revuelve en su silla. No soporta las opiniones ni el talante de este fanático. Aunque más que fanático Matthieu Ory es un esperpento. Evita su compañía y en la medida de sus posibilidades evita encontrarse con él, rehúye su conversación. Esta vez se ha hecho el propósito de no intervenir, de no cruzar con aquel extremista una sola palabra. Pero no puede evitarlo. Le vence la indignación que siente ante ciertas posturas.

–¿Te parece mal que haya imprentas? –le pregunta.

–¿Te parece mal a ti que alguien emponzoñe el agua de los ríos? Yo sólo digo que, si la herejía de Lutero no hubiera circulado impresa, hoy no estaríamos donde estamos.

–¿Y qué sugieres?

–Ahora ya es tarde. No podemos poner un alguacil en cada taller de impresión. Simplemente constato un hecho: hay demasiada gente leyendo, opinando y extrayendo sus propias consecuencias. Demasiada gente buscando documentos y vestigios antiguos.

–No creo que acudir a las fuentes, limpiarlas, reconstruirlas con las modernas técnicas filológicas para tener acceso al verdadero mensaje de Cristo sea algo reprobable. No creo que la ciencia y el progreso sean enemigos de la palabra de Dios. Todo lo contrario; la filología puede ser una gran aliada de la verdad, salvo que tengamos mala conciencia por haber tergiversado los textos.

–¿Quién está en posesión de esas técnicas filológicas modernas de las que hablas? ¿El cabrero que me sube la leche todas las mañanas? ¿El barbero que me rasura? ¿Las mujeres que me limpian la casa? Vamos, vamos, por favor; no se puede gritar por los campos que el cristiano es libre sin provocar inmediatamente revueltas como las que se han producido. ¿Qué esperabais?, ¿que los pastores entendieran de sutilezas teológicas y que distinguieran entre libertad interior y libertad exterior? Por favor, por favor. Si hay libertad para interpretar el Evangelio, es lógico que hoy salga uno diciendo que Cristo es un impostor; mañana otro negando la Santísima Trinidad; y al día siguiente un tercero asegurando que las Escrituras tienen una importancia secundaria, que lo esencial es la inspiración interior, que la Iglesia es una farsa y que lo verdaderamente cristiano es organizar comunidades de laicos iluminados. Si hay libertad, cualquiera puede organizar su propia secta al margen de la Iglesia. Cualquiera excepto los enemigos de las ceremonias. Esos, como son contrarios al concepto mismo de Iglesia, destruyen toda organización que encuentran a su paso. ¿Qué sucede cuando alguien grita que la mendicidad de los monjes es cosa de mentecatos? ¿Qué ocurre cuando cualquiera puede perdonar los pecados o ser sacerdote con sólo desearlo? ¿Qué pasa cuando un grupo de campesinos cree que la salvación del hombre ya no se compra ni se vende, sino que depende de la misericordia de Dios? ¿No queríais libertad? Tomad libertad. Pero fijaos en esto: esos perros ginebrinos que proclamaban la libertad de los cristianos han tenido ahora que crear un sistema de vigilancia más eficaz que el nuestro para garantizar el triunfo de sus reformas. Calvino ha creado en Ginebra una Inquisición protestante, mucho mejor que la nuestra.

–La Inquisición no es necesaria. Bastaría con que las sociedades albergaran en su seno algunos hombres sabios.

–Una minoría dirigente.

–Llámala como quieras.

–Pues quiero llamarla así: minoría dirigente. Siempre he dicho que la herejía hay que buscarla en la minoría dirigente. La verdadera cizaña está entre nosotros, en las altas esferas, entre los obispos y los arzobispos, no entre la gente común y corriente.

–Te preocupas mucho por la cizaña, y eso te pasa factura en la salud, Matthieu. Deja la cizaña hasta la hora de la siega. No nos apresuremos a quemarla. Podría ser que muriera por sí sola. Cristo nunca quemó cizaña.

Para Palmier el problema no es la libertad ni las reformas. El problema es que la Iglesia no se ha atrevido en su momento a emprender unos cambios que eran necesarios y que todo el mundo estaba pidiendo a voces. Ahora todo ha explotado sin control. La actual división de la cristiandad es la consecuencia de no haber querido o de no haber sabido adaptarse a los nuevos tiempos.

–Si hubiéramos sido nosotros los primeros en tomar las riendas de las reformas, nada de esto hubiera sucedido. Hace ya doscientos años que aquel John Wyclif iba por los pueblos diciendo que los políticos podían expropiar los bienes de la Iglesia y distribuirlos en beneficio de la colectividad, y que la castidad era antinatural y que iba en contra de Dios. Wyclif atacó antes que Lutero las indulgencias y negó no sólo que el Papa fuera infalible, sino que fuera útil. ¿Y qué hicimos nosotros? Quemarlo, como hacemos siempre. Todo lo que está sucediendo hoy lo tuvimos ahí, a la vista, hace doscientos años, pero no supimos o no quisimos darnos cuenta. No hemos sabido responder a unas inquietudes espirituales que vienen de lejos.

Tournon es más partidario de enfocar el asunto desde un punto de vista político. Para él la reforma de la Iglesia es una maniobra contra la estabilidad social. No ve en ella causas espirituales ni inquietudes religiosas.

–Déjate de espiritualidad y tonterías –dice–; lo que está en juego aquí es la sociedad, la monarquía, la nación.

–Pero entre la sociedad y el individuo, cardenal...

–Entre la sociedad y el individuo, la sociedad. La sociedad garantiza la libertad del individuo. Creo más en la monarquía y en la nación que en Jesucristo. Y hoy el principal enemigo de ambas es la disidencia religiosa.

–La amputación de un miembro puede salvar un cuerpo –sostiene Ory–. El fuego puede hacer que la cizaña se convierta en trigo. ¡Por Dios, fijémonos en Teodosio, en Justiniano, en Carlomagno! ¿Acaso estos emperadores cristianos tuvieron dudas en poner su espada al servicio de Dios y de su Iglesia? ¿Dudaron en ceñirse la armadura para exterminar a los herejes? La única manera de defender a Francia hoy es manteniéndola unida en la fe de Cristo, el pilar fundamental de la monarquía. Hay que castigar sin piedad las infamias contra Dios. Si no, llegará el día en que los castigos que merecen los manipuladores de la doctrina se vuelvan contra nosotros. Las fuerzas del terror global no se aplacarán jamás, y no pueden ignorarse. Hay que darles caza, hay que encontrarlas y derrotarlas.

–Ya sé que es improcedente preguntar esto, amigo Matthieu, pero ¿nunca tienes dudas? ¿Nunca te preguntas quién eres tú para decidir sobre la vida y la muerte de un hombre, para condenarlo sólo por sus ideas?

–No, arzobispo. La sociedad tiene derecho a defenderse de sus enemigos.

–No me refiero a los enemigos que usan armas, sino a los que usan ideas.

–Que los criminales recubran sus actos con la religión no los convierte en disidentes. Siguen siendo delincuentes comunes. Por más que hablen de Dios, su única intención es crear desorden, acabar con el consenso y con la convivencia pacífica entre los cristianos. Romper la unidad en mil pedazos. ¿O acaso tú crees que no deberíamos perseguir al autor del manuscrito por el que se me ha hecho venir?

–Sólo me pregunto si es necesario recurrir a la muerte. Existen otros castigos.

–No me parece muy católico que el sufrimiento y la aniquilación del cuerpo te atemoricen más que el pecado y el infierno.

–La vida de los hombres no nos pertenece.

–A ellos tampoco les pertenece la nuestra. Y sin embargo la ponen en peligro todos los días. De todos modos, la vida humana está muy bien, pero no hay que sobreestimarla. Todos los días veo decenas de hombres cuya vida indigna es una amenaza para la humanidad. Ya sé que ahora, con los modernos, todo esto ha cambiado. Pero a mí no me vale: creer que un solo individuo vale más que el tejido social del que forma parte es tan aberrante como dar más valor al cuerpo que al alma. Lo importante no es tu cuerpo o el mío, sino la conservación de la comunidad. Y si para ello hay que eliminar algunos cuerpos, debe hacerse. No hagamos teología de los cuerpos, por favor.

–No hago teología de los cuerpos. Sólo digo que Cristo nunca hubiera quemado a nadie.

–¡Cristo, Cristo, Cristo! El castigo de los crímenes y, en general, la organización social deben estar al margen de la fe. Lo contrario lleva al fanatismo.

En ese momento un pinchazo vuelve a herirle. Tournon y Palmier ven cómo Ory se contrae en un espasmo. El cardenal le pregunta otra vez si se encuentra bien y Palmier de nuevo se ofrece para llamar a su médico particular. Pero Matthieu Ory es un hombre orgulloso y no va a consentir que lo examine el físico de su principal enemigo.

–Cardenal, deme ese manuscrito –dice cuando el dolor desaparece–. No quisiera retrasar mi regreso a Lyon.

Tournon se levanta y regresa con un grueso cartapacio que deja caer pesadamente sobre la mesa.

–Lo hemos interceptado antes de que saliera de Francia. Se titula, como otros muchos de la misma especie, *La restitución del cristianismo;* pero es muy diferente. Su autor, que firma *MSV*, es un nuevo tipo de hereje; una variedad desconocida.

–¿Qué quiere decir?

–Que no estamos ante alguien que haya abandonado la defensa del dogma católico para alinearse con esos perros ginebrinos. Que ni siquiera estamos ante

100

un evangélico heterodoxo, de los muchos que han aparecido en los últimos tiempos defendiendo las proposiciones más disparatadas. Estamos en primer lugar ante alguien muy preparado. No se trata de ningún ignorante. Y no parece que pertenezca a ninguna Iglesia. Presenta una autonomía demencial, es un verdadero cazador, alguien lo suficientemente loco y desvinculado de cualquier compromiso como para atacar con igual virulencia los presupuestos católicos y los protestantes, para insultar al Papa y a Calvino. No recuerdo haber tenido en las manos un libro más peligroso y subversivo que este. Es la obra de una bestia inmunda, de un hombre furioso y enloquecido, de un fanático petulante, de un demonio, de un monstruo. Estoy recibiendo presiones de Roma, Matthieu. Quiero que evites su impresión. Que ninguna imprenta francesa tenga la dudosa gloria de haberlo difundido.

Mientras Tournon habla, Ory hojea el manuscrito por aquí, por allá y se detiene a leer el último párrafo:

«Ya está completo el número de ánimas que han de ser asesinadas, como dice el Apocalipsis. Se ha cumplido ya el plazo de tres años y medio bajo el reinado de la Bestia, ese gran dragón, el Papa. Ahora, al cabo de 1260 años, todo debe ser restituido».

Sin pensar en lo que hace, Ory se deja caer pesadamente en una butaca. El zarpazo es tan intenso que le da la impresión de tener el cuerpo envuelto en llamas. El manuscrito sale por los aires y Ory se retuerce de dolor en el suelo. Palmier llama a los camareros, y entre todos lo llevan, quiera o no, a que lo vea su médico.

Allí toda incomodidad tiene su asiento. No hay camas, no hay muebles; sólo un triste caldero, que serviría para evacuar si alguien se tomara la molestia de vaciarlo. Un insoportable olor a descomposición orgánica hiere el olfato. Al principio da asco que los pies se adhieran al suelo. Pero luego uno se acostumbra a eso y a dormir sobre el piso, aterido de frío y atormentado por las pulgas.

La celda es individual, pero en ella siempre hay varias personas. Unas entran y otras salen, algunas regresan y otras no vuelven jamás. Las conversaciones, sin embargo, son siempre las mismas. El recién llegado pregunta en voz alta si alguien sabe qué va a pasar. A veces nadie contesta. A veces le dicen que no, que no saben nada. También puede suceder que alguien se acerque al nuevo y le pregunte qué ha hecho. Los inquisidores reparten confidentes por las celdas con el fin de hacerles confesar. Los primerizos suelen cantar allí mismo. Los veteranos en cambio no se fían de nadie y se mantienen en silencio.

Naturalmente no hay ventanas. Un lucernario sirve al principio para medir precariamente el paso de los días. Pero pronto se pierde la noción del tiempo. Si no fuera por las periódicas salidas hasta la sala de tormento, se diría que todo está detenido. No es que salir de aquella pocilga para ser torturado resulte un alivio, pero al menos se recobra la sensación de que los acontecimientos siguen produciéndose unos después de otros. Primero te provocan el daño y luego tú sientes el dolor. Unas veces es la toca. Te atan a una escala, y esta se inclina hasta que la cabeza queda más baja que los pies. Se te pone un bostezo para que no cierres la boca, y te la tapan con un trapo de lino. Te lo pueden hacer sin tela, pero no es lo mismo. A continuación vierten sobre el paño unas cuantas jarras de agua. Conviene tener sed. Y aun así es horrible la sensación de ahogo. Otras veces es la garrucha. Te cuelgan de las muñecas a una polea y te colocan pesas en los pies. Te suben lentamente para que percibas cómo se te descoyuntan las articulaciones. El verdugo que tienen ahora es un chico joven entusiasmado con su profesión. Su especialidad es el potro. El chaval es capaz de darle tantas vueltas a la cuerda que te atan a los tobillos y a las muñecas, que a veces te traspasa la carne y te llega al hueso. Pero no tienes por qué preocuparte; el doctor Seville está presente en todo momento, por si pasara algo. No es a ellos a quienes les corresponde quitarte la vida, así que nunca te harán caso cuando grites desesperadamente suplicándoles la muerte.

–Mientras haya palomar habrá palomas –oye decir a una mujer–. Toda esta gente de la Inquisición tendrá que comer, digo yo. Así que mientras haya señores inquisidores a los que mantener, habrá presos y todos los tipos de herejes que la señora Inquisición quiera inventarse: confituras, relamidos o vehementes. Y cuando no puedan acusarme a mí de bruja, le acusarán a usted de puto o de ir por los pueblos bautizando gente. Qué más da. El caso es que no falten los herejes.

–¿Es que tú eres bruja?

–Debo de serlo. Mira: tengo tres hijos, que me comen por los pies todos los días; soy viuda, no tengo tierra ni a nadie que me favorezca. Y sin embargo en mi casa no ha faltado nunca un puchero en la lumbre. Increíble, ¿verdad? Debo de ser una bruja; no veo otra explicación.

Cuando Jean Frellon siente el fogonazo, un fogonazo digamos intelectual, está tumbado boca abajo en el suelo de la celda. Nota que su mejilla se ha fundido con la película pegajosa que recubre el piso. Lo primero que piensa es que se trata de una iluminación del Espíritu Santo. Quiere que sea una iluminación del Espíritu Santo, y no una alucinación. Sabe que en estas circunstancias es fácil confundir las iluminaciones con las alucinaciones. También sabe que a los inquisidores lo único que les interesa es que el reo confiese algo; lo que sea. Una vez prendido, la Inquisición rara vez absuelve, la maquinaria no se detiene. Además, el paso del tiempo no hace prescribir los delitos, sino que los agrava, porque los inquisidores consideran con buena lógica que cuanto más tiempo transcurra sin confesar, más delitos habría cometido el delincuente de no haber sido prendido. Sabe también que el miedo disuelve la razón y convierte a las personas en animales asustados, en bestias capaces de inventar parecidos, sucesos, cualquier cosa, con tal de sobrevivir. El miedo nos hace mezquinos. Y sin embargo, acaba de caer en la cuenta. Acaba de identificar al grabador que le suministra los punzones.

–¡Ory! –se oye gritar a sí mismo a través del ventanuco–. ¡Decidle a Ory que tengo algo!

Por un lado está contento y por otro disgustado. Contento porque la petición de Tournon demuestra confianza en sus capacidades, y supone una oportunidad inmejorable de hacerse valer. La carrera está plagada de dificultades y de envidias. Triunfa el que resiste. Cuántos darían dinero por haber recibido un encargo semejante: una misión tan difícil que su fracaso no lleva aparejado el descrédito, y cuyo éxito, de producirse, supondrá un paso de gigante en su hoja de servicios. Es obvio que después de la jugarreta de Palmier, Tournon quiere favorecerlo. De modo que por ese lado está satisfecho. Pero al mismo tiempo está disgustado. Disgustado no es la palabra. Con mal sabor de boca. Se ha quedado con mal sabor de boca por lo sucedido en el palacio de Palmier. A nadie le gusta mostrarse débil ante sus enemigos. Así que eso de haber necesitado ayuda de Palmier, de haber sido tumbado en una de sus camas y examinado en su presencia por un médico, por su médico personal, le ha resultado humillante. Tener cuerpo es una lata; uno queda siempre rebajado en su autoridad a ojos de los demás. Y no digamos ya si el cuerpo enferma; y si además de enfermar, resulta que la dolencia no es grave. Porque ya puestos a tener cuerpo y a sufrir desajustes periódicos, lo menos que se puede pedir es que la enfermedad tenga cierta grandeza. Pero el médico de Palmier le ha dicho que aquel dolor intenso se lo produce la inflamación de las venas hemorroidas. Aún no se ha recuperado de la humillación. Ese cabrón lo ha examinado delante de Tournon y Palmier. Le ha pedido que se suba la sotana y que se eche sobre una mesa con el culo en pompa. El médico se ha sentado en una banqueta baja, le ha abierto ligeramente las nalgas y le ha hurgado el culo delante de su máximo enemigo. Ha mojado en aceite fino de oliva un paño muy delgado de lino y ha rociado con él, muy delicadamente, la zona dolorida. Tiene que reconocer que el alivio ha sido instantáneo y que gracias a eso el viaje de vuelta ha resultado soportable. Ahora él tiene que repetir todos los días esa misma cura. El médico de Palmier le ha recomendado que no monte a caballo, que ni siquiera viaje en coche, y le ha recetado un jarabe que ha de tomar tras las comidas. El jarabe tiene dos onzas de hojas de rosal y otras dos de lengua de buey, que hay que disolver en seis libras de agua caliente. Hay que dejarlo un día y una noche, luego ponerlo a hervir, exprimirlo y colarlo. Debe tomar dos o tres onzas con agua fría en verano, y otras tantas en invierno con agua caliente. Le ha asegurado que este jarabe sutiliza la sangre, quita la melancolía, alegra el ánimo y reduce las inflamaciones y los malos pensamientos. El caso es que ha empezado a tomarlo y se siente mejor. Sólo faltaba que después de todos los codazos recibidos por el cabrón de Palmier, que después de todas las zancadillas que el hijo de puta le ha puesto para alcanzar el arzobispado de Vienne, él tenga ahora que darle las gracias. Por eso se ha marchado esa misma noche, desoyendo las protestas de Tournon; prefiere no cenar con ellos y menos aún quedarse a dormir en las habitaciones de un palacio que inevitablemente siente que le han usurpado. Además, quiere empezar cuanto antes a planear la búsqueda del nuevo hereje.

Al día siguiente de su entrevista con Tournon Ory pide un informe del manuscrito a sus mejores hombres: Alcalá, Bainton, Williams, Zweig y Delameau. Los teólogos se reúnen inmediatamente. Cuarenta y ocho horas después le comunican el resultado de su análisis: anabaptismo, una variedad insólita, pero anabaptismo al fin y al cabo. Uno de ellos, Alcalá, detecta además doctrina antitrinitaria, luteranismo, calvinismo, incluso catolicismo. Identifica fuentes gnósticas, neoplatónicas y principios panteístas. Afirma que se han fundido las fuentes helenísticas con las Escrituras, los padres de la Iglesia con las ideas de los herejes españoles, y estas con textos hebreos, con la literatura midráshica, con la rabínica, con el orfismo, con el hermetismo, con los oráculos caldeos y sibilinos y hasta con el pitagorismo. Todos le recomiendan dirigir las primeras investigaciones hacia los núcleos anabaptistas de Francia. Bainton sugiere además seguir la pista neoplatónica. Aunque no le consta que en Francia existan círculos anabaptistas, Ory dicta un detalladísimo edicto de fe y lo manda leer diariamente en todas las misas. Después de Münster se supone que el anabaptismo ha sido barrido de Alemania y, desde luego, de Francia, donde nunca ha tenido mucha virulencia. Por temperamento o política, la cizaña anabaptista nunca ha enraizado en aquella tierra. Cualquier brote que hubiera podido surgir desde entonces habría sido inmediatamente detectado por la tela de araña de comisarios y familiares de la Inquisición que Ory ha tejido minuciosamente por todo el reino. No hay pueblo, por pequeño que sea, que no tenga al menos un hombre de su confianza con los oídos atentos y los ojos muy abiertos. Su efectividad en la caza de herejes no es cosa de la suerte, sino el resultado de un trabajo concienzudo y bien hecho. Sólo si uno trabaja bien cabe hablar de buena suerte. La suerte es un pequeño pez, raro y resbaladizo, que sólo puede pescarse en las redes del trabajo eficaz. Y eso es exactamente lo que está a punto de suceder.

Acaba de leer el último informe sobre *La restitución del cristianismo* cuando le avisan de que Jean Frellon lleva unos días queriendo confesar. Jean Frellon. ¿Quién demonios es Jean Frellon? ¡Como si él pudiera tener en la cabeza el nombre de todos los que están en prisión! Jean Frellon, le informan, es un impresor acusado de ocultar una imprenta clandestina y de estampar panfletos calvinistas. Su expediente está incompleto: falta la confesión del reo, la localización de la imprenta y los panfletos calvinistas. Ah, ya. Ory recuerda que Frellon es un maldito favor que ha tenido que hacer a los hermanos Trechsel. Que confiese con otro, dice, yo ahora mismo estoy ocupado. Pero es que Frellon solo quiere confesar con él. Al parecer, le informan, tiene algo grande. Bueno, pues que espere. Ory todavía tarda varios días en bajar a las mazmorras. Una tarde, después de que le recuerden cuatro o cinco veces que el tal Frellon sigue esperando, Ory suelta una blasfemia y baja a regañadientes. No hay cosa que más le irrite que sacar la cabeza una vez sumergido en el pantano de una investigación. A ver, ¿qué quieres?

Joachim Pfister se levanta de la cama y extiende los brazos y las piernas para que los espíritus vitales acudan a los miembros exteriores y para que los del cerebro se sutilicen. A continuación se viste, se lava las manos con vinagre para prevenir pestilencias y se refresca la cara con agua tibia de rosas. Los ojos en cambio se los frota con agua fría, para que conserven sus humedades. Se peina para que se abran los poros y para que los vapores del cerebro, detenidos durante el sueño, puedan ser exhalados. Se lava seguidamente la boca y las limosidades de los dientes y se corta las uñas. Antes de salir pasea por sus habitaciones a buen ritmo para vivificar el calor natural, de modo que el estómago pueda hacer sus funciones. Al término del ejercicio, mientras hace cámara, comprueba que la cena de la noche anterior ha sido digerida: tiene ganas de comer y su saliva es sutil. Recuerda al ama que abra las ventanas a cierzo, para que el aire se lleve los miasmas expulsados durante la noche, y se va a misa.

Sale con la intención de regresar al cabo de una hora, pero la misa se prolonga más de lo habitual porque hay órdenes de leer en el ofertorio un edicto de fe firmado por Ory. Los edictos de Ory son largos y prolijos, muy detallados. Le obsesiona que en ellos pueda encontrarse algún resquicio legal para no cumplirlo. El que oye esta mañana comienza recordando el edicto de 1528, según el cual ninguna persona que haya sido ya bautizada puede bautizarse de nuevo o bautizar a otros so pena de muerte y recuerda la obligación que tienen todos de denunciar a quien haya sido rebautizado, a quien haya rebautizado a otros, manifestado opiniones favorables al segundo bautismo o a quien no haya condenado este mal tan pernicioso. Asimismo recomienda mantener los oídos bien abiertos por si alguien afirmara que no es necesario hacer confesión a los sacerdotes, que estos no tienen poder para absolver los pecados, que en la hostia consagrada no está el cuerpo de Cristo, que es inútil rogar a los santos, que en las iglesias no ha de haber imágenes, que el Purgatorio no existe, que es de idiotas rogar por los difuntos, que las obras no son necesarias para salvarse, que el Papa no es nadie para dar indulgencias o bulas, que los frailes y las monjas pueden hacer el coito, que el matrimonio no es un sacramento, que no hay que rezar en voz alta, que no hay Paraíso, que no hay Infierno, que Nuestra Señora no era virgen, que fornicar no es pecado o que Jesús, como hombre que era, copulaba con su legítima mujer, que se llamaba María Magdalena. Y por último recuerda que si alguien ha leído algún manuscrito que contenga todas o alguna de estas herejías u otras de las muchas que circulan por ahí, o sospecha de algún vecino que haya podido escribirlas o que se haya referido a ellas sutil o explícitamente, tiene la obligación de comunicárselo inmediatamente a la Inquisición.

Tras la misa vuelve a casa, desayuna leche de pepitas de cerezas, que elimina las piedras de los riñones, y unos huevos pasados por agua. Luego baja al taller, prepara los muestrarios y sale. No tarda mucho en llegar a la rue de la Poulaillerie. A mitad de la calle hay un enorme portón de madera con un cartel escrito en gruesa letra romana que dice: AQUÍ SE IMPRIMEN LIBROS. Entrando por esa puerta y atravesando un pasadizo construido sobre una bóveda de arco cruzado se accede a un luminoso patio interior. A la izquierda y a la derecha hay sendas puertas que conducen a las viviendas particulares de Gaspar y Melchior Trechsel, dos casas de tres alturas, altísimas para la épo-

111

ca, que dan una idea de la prosperidad de su negocio. De frente, cruzando el patio, se llega al taller propiamente dicho. En su interior, que huele intensamente a tinta fresca y a papel, seis o siete operarios están ocupados en diferentes tareas y dan al lugar un aire de intensa laboriosidad. Uno tira, otro corrige, un tercero compone pliegos, otro los retira, ese los casa y aquel coloca la rama o entinta las balas. Los hermanos Trechsel suelen encontrarse siempre en el taller, supervisando el trabajo, colaborando en alguna tarea o poniendo orden en sus registros y archivos. Mientras trabajan, los operarios hablan; pero son conversaciones sincopadas, sometidas a los ritmos y a las exigencias de su actividad. Así, por ejemplo, si el componedor formula una pregunta y en ese momento se le vuelca la caja, nadie le contestará; todos se pondrán a buscar tipos por el suelo. A veces esa pregunta se responde más tarde, un día o una semana después, cuando al cajista se le vuelve a caer algo y en alguno de los cerebros se produce la consiguiente conexión neuronal. Cuando Pfister entra aquella mañana en el taller de los Trechsel, los operarios están hablando de Frellon.

Jean Frellon es un conocido impresor de París que llegó a Lyon hará cosa de un año, y que a los dos meses de abrir su taller no lejos de la rue de la Poulaillerie fue detenido por la Inquisición. Todo el mundo sabe que los Trechsel tuvieron mucho que ver con aquello. No era la primera vez que Gaspar y Melchior utilizaban sus buenas relaciones con la Inquisición para anular a un prestigioso impresor que amenazaba su volumen de negocio. Ellos, claro, no lo formulan así. Era muy sospechoso, dicen ellos, que un impresor como Frellon, que tenía un prestigioso taller en París, decidiera cerrarlo y venirse a Lyon. Pero sospechoso de qué. Pues sospechoso de lo que es sospechoso todo el que por una razón u otra resulta amenazador o simplemente antipático. Sospechoso de ser un agente de Calvino en tierras católicas. Los Trechsel le pusieron un espía que periódicamente les remitía informes detallados de sus movimientos y actividades. Entra de la ciudad, sale de la ciudad, habla con Fulano, habla con Mengano, se instala en tal lugar, va a misa y está buscando una casa a buen precio. Hasta ahí nada anormal, pero cuando el espía les comunicó que Frellon tenía intención de establecer en Lyon su taller de París, los Trechsel no esperaron más y lo acusaron de instalar una imprenta clandestina para extender la herejía por todo el reino de Francia. La denuncia de unos católicos tan ejemplares e influyentes como los hermanos Trechsel tenía y tiene para los jueces de la Inquisición francesa valor probatorio. Frellon fue encarcelado, aunque nadie pudo demostrar la existencia de tal imprenta, aunque ningún testigo lo pudo relacionar con los libros prohibidos que en ese momento circulaban por el país y aunque no hubo verdugo capaz de arrancarle una sola declaración herética.

Esta mañana, cuando Pfister entra en el taller de los Trechsel para poner a disposición de sus distinguidos clientes el nuevo muestrario de tipos, los encuentra con las manos a la espalda, muy preocupados.

Inesperadamente, tras diez meses de cárcel, la Inquisición va a poner a Frellon en la calle. Eso se dice. Su gran amigo Ory no les ha consultado una palabra, ni siquiera les ha advertido de la nueva situación. ¿Y si ese Frellon descubre quién lo ha denunciado y decide vengarse? Se cuentan cosas terribles de gente que es condenada y que al salir de la cárcel va en busca de sus delatores. Así se paga el servicio a la comunidad de los buenos católicos: dejándolos desprotegidos, con el culo al aire.

Mal día para presentar mi nuevo catálogo, dice Pfister. Pero Gaspar le dice que no, que les vendrá bien distraerse un poco. Los Trechsel esperan obtener pronto información de primera mano, han enviado a un mozo, pero Ory lleva ocupado varios días, y aún no lo ha recibido. Está bien, dice Pfister, os enseñaré lo que tengo. Y busca un lugar adecuado para depositar su enorme cartapacio. Mientras tanto, los operarios siguen elaborando hipótesis sin abandonar sus tareas. O Frellon tiene amigos tan influyentes como los Trechsel, o ha dado a la Inquisición algo lo suficientemente valioso como para comprar su libertad. Los bienes materiales quedan descartados; la Inquisición confisca todos ellos en el momento de la prisión, así que lo único que Frellon y cualquier otro preso puede entregar es lo que por otra parte más aprecian los inquisidores: información. Sí, dice el cajista, pero ¿qué clase de información? La pregunta queda sin respuesta, porque en ese momento Pfister ha apoyado su cartapacio en el chibalete. Al extraer un pliego de muestras empuja con el codo al cajista, que vuelca todo el contenido de la caja con la que está trabajando sobre el piso. Pfister musita una disculpa.

Mientras los operarios recogen los tipos desparramados por el suelo y los colocan en la caja, él y los hermanos Trechsel se dirigen al gabinete. Una vez allí, Pfister abre su muestrario y va pasando las páginas ante los admirados ojos de los impresores, que querrían comprarlos todos. Este es tal, este es cual, va explicando Pfister. Qué preciosidad, qué preciosidad, repiten al paso de cada página. La gracia que colocas a la derecha de la M, Pfister, ese minúsculo saliente que tanto te define, nos encanta. Luego, cuando Pfister cierra el muestrario y lo deposita delicadamente sobre la escribanía, hay un instante de silencio. Es silencio admirativo. Pfister mira a los hermanos. Los hermanos miran a Pfister. Gaspar mira a Melchior. Melchior mira a Gaspar. Hablemos de dinero, dicen por fin. Ellos no quieren gastarse mucho, al menos hasta que sepan qué sucede con Frellon; están pendientes de hablar con Ory. Pfister les anima a que le compren un juego de punzones: disfrutarán de unos tipos únicos y luego, si se cansan de ellos, podrán revenderlos. Normalmente los Trechsel son muy sensibles a este argumento, así que no tardan en llegar a un acuerdo.

Da gusto cerrar tratos con Pfister. La primera vez los Trechsel pensaron que los había engañado. Sobre todo por su aspecto. Llegó al taller con una especie de librea hasta la cadera, ceñida en la cintura, y con unas

115

calzas de punto a la italiana, muy ajustadas de muslos para abajo. Y con la bragueta muy marcada, totalmente pasada de moda. Había salido de Alemania huyendo de la herejía y de la gótica alemana. Eso decía: que huía de la gótica. Se quejaba de que en su país era imposible desarrollar la creatividad tipográfica. Los impresores alemanes se resistían a introducir un tipo de letra más humano y menos vanidoso. La schwabacher, que es una gótica algo más redondeada que la gótica clásica, era todo lo que sus compatriotas estaban dispuestos a aceptar. Así que se marchó de allí. Se vino para Lyon y tomó una cámara alquilada en una casa de vecinos que había cerca del taller. Y una mañana apareció con su muestrario, un muestrario muy delicado, pero muy escaso de bastardillas. Tenía muchos modelos de redonda, pero apenas tenía bastardillas. Y los Trechsel entonces querían bastardillas; todo el mundo estaba loco por las bastardillas. La mayoría de los impresores había sustituido la gótica alemana por la tensión vertical, por las letras condensadas y las curvas rotas de la bastardilla. De hecho, los Trechsel eran famosos por la exuberancia de sus bastardillas, por la majestuosa cola de su *g*, que se prolongaba con exageración hasta unirse con las letras anteriores.

Entonces les grababa los punzones y les abría matrices Pierre Merrin, otro enamorado de la cursiva. Pero a él, a Pfister, la bastardilla, por más elegante y oblicua que fuese, por más que sus trazos ascendentes estuvieran enlazados, seguía recordándole a la gótica alemana. Y además la bastardilla era muy antipática de grabar: como las cabezas de sus trazos iban más allá del cuerpo del tipo, se rompían muy fácilmente. Pero no era por eso por lo que no trabajaba la bastardilla. No trabajaba la bastardilla porque estaba convencido de que en un plazo breve, en dos o tres años como mucho, los tipos redondos iban a imponerse en el mercado. Sobre todo en los tamaños medios: entredós, lectura y texto.

Aquella primera vez, cuando Pfister les dijo a los Trechsel que la bastardilla no tenía otro futuro que el de servir de letra auxiliar a la redonda, los hermanos empezaron a dudar y le pidieron unos minutos para pensarlo. La verdad era que la cursiva en entredós no ahorraba espacio y acababa cansando la vista con su longitud exagerada. Y además no era un tipo francés. La cursiva estaba bien para el italiano o para el latín; pero Francia debía tener sus propios tipos. Decidieron, pues, arriesgarse y le encargaron para empezar una punzonería de redonda en entredós, en lectura, en atanasia y en texto. Pocos meses después estaba lista. El resultado les satisfizo muchísimo. Les satisfizo a los Trechsel y a todos los impresores de Francia, que quedaron subyugados por la firmeza de aquellos contornos y sobre todo por una pequeña gracia que el grabador colocaba a la derecha de la mayúscula M.

A Pfister empezaron a lloverle los encargos, y no tardó en abandonar la cámara alquilada, tomar ama y comprar una casa de dos niveles en un elegante barrio de Lyon. Allí, en el piso de abajo, montó el taller, y tuvo que contratar empleados porque llegó un momento en que no daba abasto. Al principio sólo grababa, pero poco a poco fue ampliando el negocio y ofreciendo también servicios de justificación y fundido de caracteres. Surtía de punzones a casi todos los fundidores e imprentas de Francia, que ya habían abandonado la bastardilla y habían empezado a componer sus libros en la redonda de Pfister.

Al final de la tarde, cuando los oficiales y los aprendices se marchaban, él se quedaba trabajando en silencio: buscaba la mejora racional y factible de los tipos más aceptados añadiendo una gracia aquí o allá, diseñaba nuevos modelos de su particular M o se dedicaba a perder el tiempo dibujando letras delirantes que ningún impresor le encargaría jamás.

Y por supuesto todos los días iba a misa. Tenía fama de ser un hombre piadoso y un buen ciudadano; daba limosna, asistía a las reuniones municipales y participaba con entusiasmo en las actividades del Ayuntamiento. Sus generosas donaciones a la Iglesia disiparon recelos y le granjearon la amistad de algunos importantes miembros de la jerarquía. Con el tiempo supo ganarse calladamente su confianza y hacerse acreedor de sus secretos. El dinero, como suele suceder, le hizo respetable. Algunas noches pasaba a recogerlo, embozado en una capa, su amigo Matthieu Ory. Los acompañaba en ocasiones un conocido común, un fraile franciscano de Ocaña a quien Dios había nombrado el nuevo Gabriel. Eso decía. Decía que su misión era hacer el coito con todas las vírgenes que pudiera a fin de engendrar profetas. Pfister y Ory se partían de risa con él.

Una o dos veces por semana visitaban juntos un convento a las afueras de Lyon, cuyas hermanas eran discretas y complacientes. Sobre todo si las visitaba el supremo inquisidor para el Reino de Francia. Lo único que las hermanas pedían era un poco de clase, es decir, no declarar nunca abiertamente lo que se deseaba. A las hermanas, como a cualquier otra mujer, también les gustaba el hechizo del cortejo, y agradecían que quienes las visitaban les dedicaran tiempo, las sedujeran y las justificaran. Ellas sólo querían una justificación, eso era todo. Luego se entregaban. A Pfister le gustaba que las hermanas se untaran levadura en las axilas y se rebozaran el pecho de harina. Le gustaba jugar con género de repostería: natas, cremas y chocolates. Le gustaba también introducir su miembro en una hogaza de pan recién hecha y ser masturbado con ella mientras se hacía susurrar al oído pasajes del Apocalipsis con doble sentido religioso y sexual.

Algunas noches, después del amor, Pfister tenía dificultades para conciliar el sueño. Le gustaba quemar semillas de beleño e inspirar el humo; dejarse llevar por aquella embriagadora sensación de vuelo. Sentía que el cuerpo se le disolvía y que entonces, sí, entraba en comunión con el Espíritu Santo. Así se quedaba muchas noches dormido: volando al lado de la hermana panadera, su favorita.

Pfister se sorprende al verlo tan temprano en su casa. Y además de día. Normalmente lo recoge de noche. Se extraña también de que no lo acompañe el franciscano de Ocaña. Pero la temprana aparición de Ory no tiene nada que ver con sus escapadas nocturnas. Pfister lo comprende al ver el voluminoso cartapacio que lleva bajo el brazo. Su existencia se hace ostensible cuando Ory, que lo sujeta con ambas manos, busca con la mirada un lugar donde depositarlo. Parece un objeto realmente pesado. Pfister le indica una mesa.

–Quiero que le eches un vistazo a esto –le pide Ory.

No hace falta ser muy listo para abrir el cartapacio que te ofrece el supremo inquisidor de Francia, leer el título que encabeza el manuscrito y comprender que has sido descubierto. Por más que uno se haya preparado para la llegada de ese momento, por más que haya jurado no fingir, no jugar al gato y al ratón, no montar una escenita ni participar en una sorda pero durísima batalla dialéctica, cuando llega la hora de la verdad es difícil evitar el disimulo. Son ya muchos años de rutina, intentando que los músculos faciales no expresen las emociones. Así que es la inercia más que el empecinamiento lo que le hace decir en un tono convincentemente neutro:

–*La restitución del cristianismo*. Matthieu, un manuscrito con este título debe de ser ilegal. ¿Por qué quieres que lo lea?

120

Ory hace un gesto de fatiga y se deja caer en una silla. Obviamente él tampoco quiere jugar. No quiere jugar a ese juego. Lo que menos le apetece ahora es mantener un diálogo teatral ingenioso, mordaz y plagado de cínicos sobrentendidos. Así que le cuenta en pocas palabras la conversación que ha mantenido hace unos días con Jean Frellon, el impresor encarcelado en los calabozos de la Inquisición. Ory también emplea un tono neutro. Pero el suyo no es impostado. En su discurso no hay reproches ni asomo de triunfalismo. Parece más bien la descripción de un pasatiempo. Y en cierto modo lo es. En su visita a Pfister, Matthieu Ory no propone dejar de jugar; propone otro juego. *Tú me ayudas, yo te ayudo,* se llama este. Y no se permiten trampas.

Para empezar, Ory le pide unas cuantas emes diseñadas por él. Quiere verlas con una lente de aumento. Es la primera vez que Matthieu Ory se interesa por el trabajo de Pfister. A Ory todo eso de la imprenta le ha pillado muy mayor. Eso dice. Él es de la escuela antigua, a él le gustan los manuscritos.

A simple vista, las emes que Pfister extiende ante Ory no presentan ninguna particularidad, salvo una gracia inusual en los trazos verticales, como se ha dicho. Pero las gracias de sus emes tienen un secreto. Si se mira la letra con una lente de aumento, puede percibirse que en la gracia hay inscrita una escena escandalosa. Unas veces es un simple angelito regordete tocándose los huevos con procacidad; y otras, una figura con mayor contenido ideológico: el Papa orinando sobre la hostia consagrada, Jesús apareándose con María Magdalena o el diablo cagando una mierda, que es un burro tocado con la tiara papal.

Pfister siente un regocijo interior muy intenso al encontrar su M en los textos más dispares: en manuales de mujeres, en tratados de teología, en bulas, en alguna Biblia naturalmente, en sermones católicos y en panfletos luteranos. Antes de que Jean Frellon fuera delatado por los Trechsel, el impresor parisino le había encargado unos punzones. Pfister inscribió en la gracia de la M una estampa de Calvino chupándole el culo a un macho cabrío. La obra le costó semanas de trabajo secreto en la intimidad de su gabinete. Pero el resultado le dejó satisfecho. Pfister se partía de risa él solo. Tal y como se temió, esa M vendida a Frellon apareció días después en varios textos evangélicos, que circularon anónimamente por Lyon. Alguien debió de advertirle a Frellon que en esas emes se veía algo raro. Y tirando del hilo debió de sacar el ovillo. Al principio no lo reconoció; pero luego en la celda, donde uno tiene más tiempo para pensar, Frellon cayó en la cuenta de que era él. El impresor, como otros jóvenes inquietos de su generación, también había peregrinado a Münster antes de su destrucción.

Ory no le pide nombres ni procedencia de sus maestros; no quiere saber dónde trabajó antes de llegar a Lyon, a qué impresores suministró punzones. No quiere fechas, no quiere nombres, no quiere documentos, no quiere facturas ni piensa comprobar uno a uno los datos que Pfister le dé para demostrarle que él es él. No quiere tampoco prenderlo. ¿Para qué? A él Münster, mientras no se produzca en Francia, le trae sin cuidado.

–¿Entonces qué quieres?

–Ya te lo he dicho: quiero que leas este manuscrito. Y que encuentres a su autor. Obviamente, tú sabes más que yo de anabaptismo, y encontrarás aquí claves que a mí se me escapan. Conoces a esa gente, sabrás adónde ir y a qué puerta tocar. Lo que te estoy proponiendo es un trato: tú me ayudas y yo te ayudo. Tú lo encuentras y yo te consigo una cédula que certifique tu nueva identidad para el resto de tus días y otra que te convierta en comisario de la Inquisición. Sabes qué significa eso, ¿verdad? Quedarás fuera de la jurisdicción ordinaria. Tendrás licencia para todo. No podrás ser prendido por alguaciles ni sentenciado por jueces. Tendrás facultad para recibir informaciones y delaciones, para proceder contra quien consideres oportuno, delincuentes o testigos; podrás prender, retener, recibir confesiones, examinarlas, llamar a declarar, testificar, podrás encarcelar, someter a tormento y pedir informes. Podrás llevar armas, y podrás quedarte con todas las multas que interpongas. Estarás exento de pagar impuestos, y todos los católicos estarán obligados a auxiliarte en lo que necesites, a alojarte en sus casas y a proporcionarte alimentos. De por vida. Son privilegios que nos otorgamos a nosotros mismos. No conviene que quienes hacen cumplir la ley tengan que someterse a ella. Si así fuera, las leyes nunca serían justas, y más vale una ley justa y un hombre impune que una ley injusta que tenga fuero universal. Además, los hijos de puta como tú, que han llevado a tantas almas al infierno, siguen siendo hijos de puta toda la vida y necesitan la inmunidad como el aire, no vaya a ser que alguien quiera llevárselos por delante.

La restitución del cristianismo. Firmado: *MSV.* A los anabaptistas les seguían encantando las restituciones. Primero lo destruían todo y luego lo restituían. La lectura del manuscrito, del que Ory le ha facilitado una copia, le produce sensaciones contradictorias. Por un lado le parece que la ira y la rabia con que está escrito provienen de otro mundo:

«Amados hermanos, armaos para la batalla; armaos no sólo con las humildes armas de los apóstoles, no sólo con el sufrimiento, sino también con la potencia de la venganza; armaos para extirpar el poder de Babilonia y destruir las instituciones de los ateos».

Qué lejos se encuentra él de todo aquello; qué violencia tiene que ejercer sobre su naturaleza para leer sin vomitar aquella diarrea teológica. Aquel libro, en el que a veces se reconoce a sí mismo, le produce náuseas. Y lo que le revuelve las tripas no es tanto lo que dice como el modo de expresarlo; esa rabia, esa certeza, esa soberbia, la seguridad de estar iluminado.

Pero él ha sido así; y constatar este hecho, recordarlo, también le irrita. Aquel personaje interpretado por él, con su entusiasmo, con su seguridad impostada, con su dogmatismo, con su intransigencia y su mezcla de ingenuidad e hipocresía le sigue dando asco. Pero al mismo tiempo el libro lo deja admirado y perplejo. Jamás ha visto algo semejante. Ninguno de los anabaptistas que él ha conocido habría sido capaz de escribir un libro como este. Ni siquiera él mismo. Su autor tiene un saber enciclopédico, y los radicales nunca se han caracterizado por su preparación. De hecho, siempre ha sido muy difícil encontrar a alguno que tuviera rudimentos de latín. Este hombre en cambio no sólo escribe aceptablemente en latín (un poco heterodoxo quizás en el régimen preposicional), sino que domina el griego y el hebreo. Y no parece que sea judío. Los hombres circuncidados tienden hacia la concisión, y este libro está lleno de temas que no se terminan, de sugerencias que no se desarrollan. A primera vista este amontonamiento de asuntos puede parecer caótico. Pero no lo es: ha logrado integrar esos elementos tan dispares en un sistema bastante sólido y coherente. Contradicciones, lo que se dice contradicciones, sólo encuentra una: necesita entender racionalmente los misterios de la religión y al mismo tiempo desconfía de la razón. El conocimiento humano es limitado, dice, y no podemos entenderlo todo.

Ory le ha dado a entender que se trata de un manuscrito anabaptista. Pero eso no es decir mucho. Hay tantos anabaptismos como anabaptistas, especialmente después de Münster. Lo único que les une es la rabia. Además, junto a las consabidas ideas anabaptistas hay doctrina antitrinitaria, luteranismo, calvinismo, catolicismo, fuentes gnósticas y neoplatonismo. Es como si el autor hubiera querido escribir el libro definitivo de su civilización, el libro de todas las religiones. Investigar los círculos anabaptistas de Francia, suponiendo que los haya, es reducir mucho el terreno de juego. Este hombre va más allá.

Pfister considera la posibilidad de seguir la pista neoplatónica porque el libro contiene también una dosis inusual de neoplatonismo. No tanto citas de Platón cuanto influencia conceptual, algo que siempre ha sido muy raro en Francia. Platón traducido por Ficino. Tan raro que sólo se le ocurre un nombre: Champier. Symphorien Champier. Pero Symphorien Champier, el único que ha hecho neoplatonismo en Francia, ha muerto hace tiempo.

Mientras lo lee presta atención también a detalles de su vida, a restos que le puedan dar alguna pista sobre su identidad o sobre los círculos por los que se mueve. Sabe por experiencia que en este tipo de escritura casi todo es autobiográfico. Deduce que no es su primer libro. De hecho, ha tenido que desterrarse a causa de una obra anterior. Eso dice. Y que ha tratado de huir, probablemente a las Indias, sin conseguirlo. Tenía entonces veinte años, señala en el prólogo, lo que significa que ahora debe de andar por los treinta o los cuarenta. No es mucha información, pero es un dato. Y estuvo en Bolonia, en la coronación del emperador; y el espectáculo no debió de gustarle mucho, a juzgar por su evolución posterior.

Y de pronto encuentra algo. Hasta ese momento la materia le ha resultado abrumadora por su abundancia, pero familiar y reconocible. Jerga teológica muy poco original. Pero hacia el final del manuscrito se topa con una inusual descripción del Espíritu Santo que lo deja perplejo. No es que le guste más o que le guste menos. Es que no sabe dónde ubicarla. No hay en su conocimiento una categoría para incluir aquella explicación fisiológica del Espíritu Santo. Sí, ese es el modo más acertado de definirla. Una explicación fisiológica del Espíritu Santo. El Espíritu Santo, viene a decir, es la energía que da vida a los seres. El Espíritu Santo mueve la sangre de las arterias, entra en el cerebro y estimula los sentidos. No conoce a nadie que haya tratado de fundir antes, y con tanto desparpajo, teología y medicina.

–El autor de este manuscrito –le dice a Ory poco después– no es un teólogo, como suele ser habitual, sino un médico. Por eso su lectura produce cierta extrañeza y desazón. Yo empezaría a buscar en las facultades de medicina. Es todo lo que puedo decirte.

Ory se levanta, llama a los escribanos, dicta permisos, salvoconductos y cédulas que firma y sella al pie.

–Toma –le dice a Pfister entregándole los documentos expedidos–. Busca en las facultades de medicina, busca donde consideres oportuno y tráeme, antes de que pasen quince días, una identidad y un nombre propio. Recuerda: si tú me ayudas, yo te ayudo.

Teoría

Cuando sale de casa, un hombre vestido de negro lo está esperando fuera a lomos de un isabelo de cordón corrido. Sujeta con la mano izquierda un palo al que saca punta con un cuchillo que enfunda cuando lo ve aparecer. Al principio Pfister se asusta. No está acostumbrado a que tipos corpulentos y malencarados lo esperen de madrugada vestidos completamente de negro a la puerta de su casa. El hombre se acerca y se presenta. Se llama Roland. Matthieu Ory le ha pedido que cuide de él. Detalles de la Inquisición francesa. Sí, pero quién es este hombre. ¿Un alguacil? ¿Un comisario? ¿Un matón? ¿Un teólogo?

–En la cara interna de su arzón delantero he colocado un bolso secreto.

Esto contesta el tal Roland a las preguntas de Pfister, que se maravilla de lo que oye. No lo ha visto entrar en casa.

–Es lógico. Que no me vean entrar en las casas forma parte de mi trabajo. Lo que quiero decirle es que debe introducir en ese bolso todos los documentos y la mayor parte de su dinero, pero no todo, ya que en caso de que seamos asaltados, a los malhechores siempre les gusta llevarse algo.

Esta es la primera vez, y la última, que Roland habla sin que le pregunten. A partir de este momento Roland sólo abrirá la boca para contestar las preguntas de Pfister. Y Pfister pregunta. Pregunta mucho. Pero Roland, aunque contesta, da poca información. No sabe nada de él, no sabe adónde van ni cuál es su misión. Y como Pfister sigue preguntando, queriendo saber qué sabe, Roland detiene su caballo y le dice:

–Mire: yo soy un simple alguacil. Mi trabajo consiste en seguirlo a todas partes. No puedo perderlo de vista ni cuando vaya a cagar. Y dormir, tengo que dormir con los ojos abiertos. ¿Ha dormido usted alguna vez con los ojos abiertos?

–Nunca, la verdad.

–Pues es bastante incómodo. Todo lo demás (quién es usted, adónde vamos y por qué) no me incumbe ni estoy preparado intelectualmente para entenderlo.

Plister lo escucha divertido.

–Si vamos a hacer juntos este viaje –sugiere en otro momento–, convendría que nos lleváramos bien. Son siete días de ida y siete de vuelta. Es inevitable que acabemos conociéndonos.

–Como decía mi abuela, dos no se conocen si uno no quiere. Y mi experiencia en estos viajes me dice que para llevarse realmente bien con un acompañante impuesto es mejor no conocerse demasiado.

Y lo cierto es que lleva razón. Guardar las distancias, no hablar demasiado, es el modo más eficaz de garantizar si no la cordialidad sí el respeto. Eso piensa Pfister, que sin embargo se resiste a cabalgar en silencio. Hay algo que lo atormenta, algo que quiere preguntar sin que suene ridículo. Entrando el día da con una fórmula aceptable:

–Roland, dime algo, una última curiosidad. Cuando haya cumplido mi misión y cumplas tú la tuya de liquidarme...

Roland no le deja terminar la frase:

–Le repito que mi trabajo consiste en cuidar de usted. No puedo matarlo. No puedo matarlo ni en defensa propia. En ese caso tendría que reducirlo sin quitarle la vida, una limitación que seguramente no es recíproca.

Pfister suelta una carcajada.

–Por eso no te preocupes; no tengo ninguna intención de matarte.

De matarlo, no; es cierto. Pero de escapar, sí. De hecho, ya lo está considerando. Y lo intentará muy pronto. Lo veremos inmediatamente.

El plan de viaje se repite todos los días casi sin variaciones. Se levantan a las cinco de la mañana y mientras Roland se mete entre pecho y espalda un copioso desayuno, Pfister extiende los brazos y las piernas para que los espíritus vitales entren en sus miembros. A continuación se lava las manos con vinagre y se refresca la cara con agua de rosas; se frota los ojos con agua fría; se peina y se lava la boca antes de desayunar con moderación. Hasta la salida del sol cabalgan en soledad. A esas horas los caminos están desiertos y prácticamente no se tropiezan con nadie. En cuanto sale el sol la cosa cambia. El trasiego de viajeros es constante y no hay más remedio que cabalgar al paso. A pesar del miedo, de las guerras y de la peste, los caminos se llenan de gente que va y viene de aquí para allá. Hay vendedores atosigantes que ofrecen pellizas de carnero a buen precio, pero que en realidad están hechas con pellejos de gato; hay quien ofrece miembros en perfecto estado: antebrazos, piernas, torsos, cabezas, cuerpos enteros de ajusticiados en la horca, algunos todavía calientes; o azumbres de vino que en realidad es mosto rebajado con agua sucia. Algunas veces este batiburrillo es entretenido; otras, la compañía que toca en suerte es insufrible. Pero Pfister, que es muy considerado, se aguanta siempre y suele dar conversación.

Algunos de estos compañeros ocasionales tienen vidas tediosas, carentes de atractivo, o son simplemente pesados. Es el caso de un viajero español que se pasa toda la jornada analizando las decisiones políticas del emperador Carlos. Pfister habla con él, pero piensa en otra cosa. Otros sin embargo son personajes singulares. Los hay repugnantes, como un médico que trabaja para la Inquisición y que le describe pormenorizadamente el método que ha desarrollado para lograr confesiones. Tropiezan también con un testigo profesional, que se gana la vida alquilándose para acusar por un módico precio a quien le indiquen. En un minuto es capaz de urdir una herejía con todo tipo de detalles. Con este hombre sucede algo. Resulta que poco antes de llegar a París el falso testigo se queda dormido con la boca abierta. Pfister, que lo mira distraídamente, percibe de pronto un extraño revoloteo en su interior. Algo, un corpúsculo viscoso en el que se distingue un par de ojos, sale entre los dientes del hombre dormido y trepa por el labio superior hasta introducirse en una de sus fosas nasales. Es Roland quien pinza aquel gusano gelatinoso antes de que desaparezca por las narices del falso testigo y lo acerca a la luz de un candil para verlo mejor.

–Hay gente que está podrida –explica–. Más gente de la que pensamos. Por el día parecen normales, pero cuando están dormidos, los insectos que habitan en su interior salen a la superficie por los orificios y los esfínteres. Hace ya muchos años yo tenía trato con una duquesa muy vieja que nunca me dejaba quedarme a dormir. Yo insistía, pero ella siempre se negaba. Hasta que una noche, cargados de vino, fue ella la que se quedó dormida a mi lado. A medianoche me desperté con el cuerpo cubierto de langostas. Enjambres de moscas sin alas salían de su boca, de sus orejas, de sus narices y hasta de su coño. En uno de sus ojos habitaba una especie de cucaracha que levantaba el párpado como si fuera ropa de cama, sacaba sus antenas, reconocía el medio y volvía a entrar, como si no estuviera interesada en el exterior.

También hay caminantes con gracia, como un tal Civillé, que les asegura estar muerto y haber resucitado antes de tiempo. O como un fugitivo que cambia de nombre cada tres minutos para no ser descubierto. Pfister y Roland recorren Francia de punta a cabo, tropezándose con estos viajeros o con otros parecidos. Atraviesan zonas devastadas por la peste, pueblos calcinados y desiertos en los que nadie se ha atrevido a entrar, y a los que se ha prendido fuego para evitar que extiendan el contagio. Pero también cruzan regiones prósperas, bosques poblados, ricos en madera, y vastas extensiones de cultivos. Da gusto alojarse por aquí y dejarse agasajar en las ventas y hospederías por la generosidad de sus huéspedes.

Es durante la breve estancia en una de ellas cuando Pfister intenta fugarse. Cierta noche, después de cenar unos manjares deliciosos y abundantes, aprovecha el sopor de la sobremesa y la casualidad de que Roland se haya encontrado con un conocido para montar discretamente y salir a caballo reventado en dirección a Ginebra. Cruza campos de viñedos, vadea ríos, asciende montañas y atraviesa bosques. No sabe el tiempo que cabalga. Cuando el caballo no puede más, desmonta y deja que abreve en un río, convencido de que a Roland le resultará imposible alcanzarlo. Un poco más tarde encuentra refugio, alquila una cama y se queda dormido. Cuando despierta a la mañana siguiente, Roland está a su lado durmiendo. Parece que lo está mirando; pero no es así. Está durmiendo. Durmiendo con los ojos abiertos.

La Facultad de Medicina ha comprado dos casas contiguas a los Cartujos y ha construido un edificio nuevo con un jardín interior, que aquel día se encuentra engalanado y abierto al público. Es el día de san Luis y los estudiantes celebran la fiesta de su patrón. Todo es bullicio y risas aquella mañana. Estudiantes y profesores se mezclan con los vecinos de París, que admiran los trabajos expuestos, especialmente su caligrafía. Algunos alumnos de los últimos cursos desafían a residentes y visitantes defendiendo tesis variopintas. Hay debates públicos sobre la epidermis, sobre el funcionamiento vascular o sobre el alojamiento del alma. Quien pasea por el patio dejándose impresionar por los estímulos puede oír retazos de disputas, preguntas que se quedan sin respuesta, respuestas sin pregunta previa y argumentaciones incompletas. Las imágenes luminosas de las cosas, se oye decir a uno, son captadas por los ojos y enviadas al interior a través de los nervios. Los nervios están huecos, responde otro. No pueden estarlo, contesta alguien, los nervios son filamentos transmisores de luz. Más allá uno sostiene que el alma está en el cerebro; otro asegura que eso es imposible, que el cerebro es una masa fría incapaz de albergar la calidez del espíritu. El cerebro sirve de cloaca, le responden, está conectado al paladar y a las narices. ¿Las narices? Ahí no puede estar el alma. Cómo que no; el alma está repartida por todo el cuerpo.

137

Esta algarabía llega amortiguada al refectorio de profesores, una acogedora sala admirablemente decorada con pinturas y tapices. Del techo cuelga una enorme lámpara de plata con velas aromatizadas que mejoran la iluminación de la estancia. Sobre la mesa brillan vasos y platos repujados, fuentes, cacerolas y vasijas de vino. Se ha dispuesto una mesa para cuatro personas. La Inquisición ha anunciado la llegada del comisario Pfister, y ha comunicado su deseo de mantener una conversación informal con el decano y algunos profesores. Nada produce más temor, y por lo tanto más respeto y solicitud, que recibir una visita de la autoridad. La Inquisición se ha trabajado mucho esta inseguridad casi patológica de los ciudadanos y ha conseguido que ninguno de ellos viva con la certeza absoluta de ser inocente. Así se fomenta mejor el orden y se reduce mucho el riesgo de rebeldía. Cuando la Inquisición llama a una puerta, quien está al otro lado espera cualquier cosa; desde una simple petición de alojamiento hasta su propia detención, pasando por una retahíla de preguntas peregrinas. En aquella ocasión la carta que anunciaba la visita de Pfister adjuntaba un texto sobre la circulación de la sangre. Se rogaba que los asistentes a la reunión acudieran a la misma habiéndolo leído detenidamente.

En 1553 la Facultad de Medicina de París está, como todas las facultades de todas las universidades de todos los tiempos, dividida en dos bandos irreconciliables. Como representante del bando A, por llamarlo así, se presenta Jacques du Bois, catedrático de Anatomía. Frente a él se sienta Johannes Gunther de Andernach, catedrático de Anatomía también y representante del bando B. Entre ellos se ha acomodado el cirujano Jean Tagault, a la sazón decano de la facultad. Los tres se ponen en pie cuando Pfister entra en el refectorio con paso decidido. Tagault sale a su encuentro y presenta a sus colegas. Jacques du Bois es un anciano de cabellos blancos y alborotados, bastante alto y seco de carnes, que tiene una enorme nariz y unos ojos saltones. Gunther, más joven, es un hombre corpulento con una larga barba negra que le llega hasta el pecho. Pfister escruta a los tres profesores, y estos a su vez observan el comportamiento del recién llegado con el temor que infunde siempre el poder. Roland se retira a un rincón y espera allí jugueteando con un tarugo de madera que pronto empezará a tallar.

Antes de sentarse a la mesa, Pfister pide lavarse con agua y vinagre. El decano hace un gesto con la mano y un camarero acude prestamente a su llamada. Tagault le da instrucciones al oído y el camarero regresa con un aguamanil. Vierte sobre las manos de Pfister primero el desinfectante y luego una generosa cantidad de agua de rosas tibia y olorosa.

–Es para prevenir pestilencias –dice Pfister.

Y entonces los médicos reconocen tras esa frase a uno de esos enfermos imaginarios que cuando no están convencidos de haber contraído una enfermedad contagiosa se creen víctimas de una disfunción orgánica o consideran, si acaso atraviesan un período de buena salud, que esa ausencia de desarreglos confirma sus peores augurios: que están siendo devorados por una perversa enfermedad carente de síntomas visibles, lo que hace por tanto imposible su curación. Estos ingenios esconden en realidad una desmesurada preocupación por sí mismos y en definitiva una incapacidad para resignarse a la muerte.

Primero se sirve el pan en bandejas de plata e inmediatamente después los aperitivos en platos dorados: salchichas y tortas. A partir de ese momento no dejan de entrar fuentes con comidas exquisitas: caldos, asados, guisos y hojaldres. El ambiente, que al principio es frío, va caldeándose con los alimentos y con un delicioso borgoña. Hablan de cuestiones generales, del viaje, del clima en París, de las obras que acaban de finalizar en la facultad. Es a los postres, después de que Pfister degluta con deleite la última confitura, cuando se inicia verdaderamente la conversación.

–Señores –dice solemnemente–, les agradezco este delicioso almuerzo que tan gentilmente han compartido conmigo, pero como comprenderán no he venido desde Lyon a degustar la excelente comida de París. Qué más quisiera yo. El motivo de mi visita, como habrán podido deducir de la carta que les envié antes de salir para acá, tiene que ver con la herejía.

En este punto Pfister hace una pausa para tomar algo de agua y comprobar de paso el efecto que sus palabras ejercen sobre los tres profesores. Decir herejía es decir maldad intrínseca o maldad injustificable, es decir necesidad de hacer daño sin otro propósito que el de recrearse en el dolor ajeno. Para una persona con cultura y sensibilidad no hay nada, ninguna idea, ningún fin que sirva de excusa para propagar errores y engañar a los humildes que no saben leer; nada que justifique el asesinato indiscriminado de almas inocentes.

–Como saben, la Inquisición francesa tiene fama de ser muy eficaz. Buena prueba de ello es la reciente captura de un manuscrito altamente peligroso. Estamos intentando por todos los medios localizar a su autor y evitar a toda costa que se imprima y se distribuya sin control. Eso sería un desastre.

Aquí Pfister vuelve a hacer otra pausa. Le gusta cómo le está saliendo el discurso. Esa mezcla de solemnidad y humildad suele ser siempre muy eficaz en estos casos. Parece realmente un comisario de la Inquisición.

–La única pista que tenemos para localizar a este criminal es el propio libro que ha escrito. Mis superiores han considerado que este humilde comisario es la persona más indicada para rastrear en semejante monstruosidad elementos que nos conduzcan a él. Pues bien, he de reconocer que tras sucesivas lecturas no he podido encontrar ninguna doctrina, ningún planteamiento teológico, ninguna disidencia lo suficientemente original como para indagar en una única dirección. Entre los varios centenares de páginas que ocupa este libro he encontrado sin embargo un fragmento que me ha parecido insólito. Pero curiosamente, y contra lo que cabría esperar, no se trata de un fragmento teológico, sino de un fragmento médico. Y yo, que sé algo de teología, en medicina soy un ignorante. Sí, aunque parezca extraño, en este desmesurado tratado teológico hay un breve apunte médico que quizás nos pueda llevar todo lo lejos que necesitamos.

Pfister se nota suelto, demasiado suelto tal vez, para tratarse de un discurso que jamás ha sostenido.

–El fragmento, no tengo que decírselo, es el que ustedes han leído detenidamente, y sobre el que me gustaría que se extendieran ahora sin omitir reflexión alguna. Cualquier idea que su lectura les haya sugerido, cualquier indicación, será bien recibida. Algo que ustedes consideren accesorio podría ser la clave que confirmara alguna de las hipótesis que barajamos.

Pfister apura el vaso de agua sin dejar de mirar a los tres profesores. Está seguro de que ninguno de ellos duda de su condición de comisario. Cree haberles infundido el temor preciso y haber enfatizado convenientemente la importancia que tiene su declaración.

Tras un instante de reflexión, toma la palabra Du Bois, el más anciano de los tres.

–Señor comisario, a mí personalmente no me ha hecho falta leer con atención el fragmento que nos ha remitido. A la tercera línea supe que esto era cosa de Vesalio. De Andreas Vesalio, un antiguo estudiante de esta casa que encarna todos los males de los nuevos tiempos. Vesalio se ha hecho famoso aquí por despreciar los textos clásicos. Yo soy de los pocos que todavía se niegan a aceptar que la observación de un aprendiz vale más que el texto de un sabio. Para mí Galeno no es un simple punto de vista, como dice ahora la juventud. A la esencia de las cosas no se llega desenterrando cadáveres y abriéndolos en canal como si fueran puercos. Yo soy de la vieja escuela, de los que piensan que es con la teoría, y no con la práctica, como se accede al verdadero conocimiento de las cosas. Pensar que el cosmos consiste solo en aquello que podemos percibir con nuestros imperfectos sentidos es pura soberbia.

Es evidente que Du Bois no habla solo para Pfister, sino también y sobre todo para los otros dos comensales. No hace falta conocer la universidad, ni saber medicina, para darse cuenta de que las palabras del viejo profesor son escaramuzas de una batalla que se libra subterráneamente.

–El fragmento que usted nos ha enviado –continúa Du Bois– es una extravagante aproximación fisiológica al Espíritu Santo, una definición no teológica, sino médica de ese misterio, como usted muy bien ha dicho. El Espíritu Santo no se define como la tercera persona de un solo Dios verdadero. El Espíritu Santo es una sustancia química, una sustancia química que da vida a todos los seres. ¿Y cuál es esa sustancia química? La sangre oxigenada por los pulmones. Como poesía, señor comisario, me parece un texto hermosísimo. Llamar Espíritu Santo a la sangre oxigenada es una idea extremadamente bella, pero desde un punto de vista médico es un auténtico disparate. La sangre impura que llega al ventrículo derecho del corazón no se purifica en los pulmones, como dice este hombre, sino en el propio corazón. Imagine usted el rodeo inútil que tendría que dar la sangre si eso fuera verdad. Mire, se lo voy a explicar.

Como por arte de magia Du Bois extrae de su faltriquera un papel y un lápiz de punta de plomo, como el que Pfister utiliza para sus diseños.

–Este óvalo que dibujo aquí es un pulmón. Y este otro óvalo que dibujo a su lado es el otro pulmón. Aquí, en el centro de estos dos óvalos, de estos dos pulmones, está nuestro corazón. Nuestro corazón vamos a dibujarlo como una pequeña circunferencia. Así. Esta pequeña circunferencia está dividida en dos partes. ¿Ve? Una y dos. Una parte es el ventrículo derecho, y otra, el ventrículo izquierdo. Bien. Fíjese: para hacer lo que dice este loco, la sangre impura que viene de alimentar a todo el cuerpo tendría que llegar al ventrículo derecho, y de ahí ser impulsada a los pulmones, donde se produciría su limpieza gracias al oxígeno que inspiramos. A continuación esa sangre limpia regresaría al corazón, al ventrículo izquierdo, para ser bombeada desde allí a todo el cuerpo. Es absurdo. Es totalmente absurdo. Nuestro cuerpo es una máquina muy inteligente que ahorra esfuerzos inútiles. ¿Por qué llevar la sangre del ventrículo izquierdo al ventrículo derecho dando ese largo rodeo por los pulmones en vez de pasarla directamente de un ventrículo a otro a través del tabique que los separa? Andreas Vesalio es el único sujeto capaz de elaborar una hipótesis basándose únicamente en la observación, en meras impresiones visuales, sin aparato teórico, sin alegar ninguna autoridad. Pero es que aunque quisiera alegar alguna autoridad no podría hacerlo. Ningún maestro ha descrito este circuito absurdo e inútil. Fíjese: a él le parece, ¡le parece!, que la arteria pulmonar es demasiado grande y que no puede servir solo para alimentar a los pulmones. Le parece que tiene que servir para algo más, aunque ese algo más no haya sido mencionado jamás por Galeno ni por ningún teórico. ¡Le parece demasiado grande! ¿A usted le parece la lluvia demasiado húmeda?

Gunther, que ha estado pellizcándose nerviosamente las manos y revolviéndose en su silla mientras Du Bois hablaba, no lo soporta más y con el rostro congestionado por la ira contenida dice:

—El problema de Vesalio es el problema de todos los que tienen problemas hoy: haberse rebelado contra la autoridad. La autoridad en medicina, señor comisario, es Galeno. Los libros de Galeno son los libros en los que nuestros estudiantes aprenden el funcionamiento del cuerpo humano. Pero ¿qué sucede? Sucede que Galeno para describir los órganos humanos diseccionó cerdos, diseccionó bueyes y diseccionó monos, pero no diseccionó seres humanos.

—Sabes perfectamente que no es imprescindible hacerlo.

—Déjame terminar, Jacques, te lo ruego. Puesto que todas las criaturas habían sido según Galeno creadas de modo muy parecido, él creyó que el detalle de no haber visto jamás un ser humano por dentro carecía de importancia, y nunca lo mencionó. Pero dejemos a Galeno y hablemos de Vesalio. Andreas terminó sus estudios aquí, se doctoró en la Universidad de Padua y fue nombrado allí profesor de Cirugía y Anatomía;

un currículum demasiado brillante para un simple loco. En Padua fue donde Andreas se dio cuenta de que si bien todos los cuerpos humanos mantienen entre sí notables semejanzas, las estructuras de sus órganos no son como Galeno las describió: ni el esternón tiene siete segmentos, ni el bazo es oblongo, ni el hígado se compone de cinco lóbulos.

–Pero di cómo se ha dado cuenta de todo eso. Dilo. Háblale de la Hermandad del Corpus: di que descuartizan niños, di que abren en canal a las mujeres. ¿A usted le gustaría, señor comisario, que su cuerpo fuera tratado como el de una oveja, y que los estudiantes de medicina estuvieran trasteando en su interior? ¡Estamos hablando de seres humanos! El ser humano tiene una dignidad contra la que no se puede ir sin ofender gravemente a Dios.

Gunther ignora estas palabras.

–Cuando en el 43 Vesalio publicó *De fabrica humani corporis,* los catedráticos de todas las universidades europeas, y especialmente sus maestros de París, se le echaron encima. Lo insultaron, lo desprestigiaron, escribieron libelos contra él, le retiraron su apoyo y le negaron su amistad. Sus alumnos de Padua, convencidos de que aquel hombre era un impostor, un ignorante o, lo que es peor, un heterodoxo, dejaron de ir a sus clases. Vesalio se quedó solo. Consiguieron hundirlo, hacerle creer a él mismo que estaba equivocado. Y esta es la mayor abyección en la que puede caer un talento original. Ha quemado sus manuscritos y ha abandonado la Universidad de Padua para convertirse en médico de corte, un empleo indigno de alguien que ha nacido para renovar la medicina. Va a contestar Du Bois, pero el decano no lo permite.

–¡Basta! –corta de raíz–. Debería daros vergüenza discutir como niños en un asunto tan serio. Es cierto que Andreas Vesalio fue siempre un estudiante polémico, y que sus puntos de vista no siempre coincidían con la ortodoxia médica. Es cierto que en su *Fabrica* hay disparates descomunales. Pero de ahí a decir que Andreas Vesalio es un hereje hay un abismo. Y mantener que es el autor de un libro herético sólo porque esa observación médica nos recuerde todo lo que hemos discutido con él, es un dislate.

Pfister los deja discutir e interpelarse. Él ha acudido a París en busca de luz, y no parece que vaya a encontrarla por el momento. Andreas Vesalio. La hipótesis no lo convence. Además, solo la *V* de *Vesalio* coincide con las *MSV* que cierran el manuscrito. Sin embargo, aunque su intuición le dice que esa es una vía muerta, siente que no debería volver a Lyon sin hablar con el tal Vesalio. Pero el médico, le dicen, no vive en París. Ni siquiera en Padua. Vesalio está ahora en Villach, en Austria, a dos semanas de allí.

Pfister no se considera capaz de resistir un mes adicional de polvo, estreñimiento, jergones con chinches, olor de axilas, propias y ajenas, y caminantes pesados. Además, dos semanas de ida y dos de vuelta a Villach más los seis días que han tardado en llegar a París exceden con mucho el plazo otorgado por Ory. Y sin que nadie garantice que Vesalio sea el autor de aquel manuscrito. Pero no hay más remedio; buena o mala, Vesalio es la única pista que tiene. Está pues disponiéndolo todo para el viaje cuando el dueño de la casa donde se alojan le entrega un billete que alguien ha dejado para él. Pfister lo abre intrigado. «Tengo que hablar con usted», dice la nota. «Le espero esta noche en cierto lugar de la rue Saint-Antoine. A las diez. No falte. Su amigo: Gunther de Andernach.»

Con la esperanza de que aquella cita imprevista impida de algún modo el viaje a Villach, Pfister acude al lugar que le indican acompañado por Roland, que va mirando a todas partes, más alerta que de costumbre. La rue Saint-Antoine es una calle estrecha y oscura, que recorren despacio, mirando a derecha e izquierda. Es hacia el final cuando alguien abre una puerta a su paso y susurra:

–¿Comisario Pfister? El profesor Gunther le está esperando aquí.

En la casa donde entran se venden libros. Los volúmenes se amontonan en mesas y anaqueles, y en el ambiente hay un agradable olor a papel. Gunther, que lo espera en un rincón de aquel almacén, se levanta al verlo entrar y le tiende la mano.

–Señor comisario, perdone tanto secreto; pero, como ha podido comprobar, en la universidad hubiese sido imposible mantener un encuentro como este sin levantar las sospechas o las iras de Du Bois y los suyos.

Roland se aleja discretamente de la mesa donde los dos hombres se acomodan y se sienta en un rincón desde el que puede ver sin ser visto. Saca su cuchillo y comienza a tallar su tarugo de madera.

–Ya ve: en la universidad hay cierta animadversión contra Andreas Vesalio. Pero, créame, señor comisario, Andreas no tiene nada que ver con ese escrito. Vesalio está retirado, aislado, cuidando a un emperador con gota, que por muy emperador que sea es un viejo lleno de achaques y en decadencia. Fui profesor de Vesalio y le aseguro que él no está interesado en la teología. Lo suyo es la medicina. Andreas era diligente como pocos y devoto de la medicina pura. ¿Sabe a qué se dedica ahora? Está estudiando la relación entre el amor sublime y las terminaciones nerviosas, está muy interesado en las diferentes sensibilidades del glande y en medir la separación del clítoris con respecto a los labios menores. Ha quemado todos sus manuscritos sobre anatomía, y siente un placer morboso en consagrar sus conocimientos, su preparación, todos sus años de estudio, a la demostración de teorías extravagantes e inútiles. Es su modesta contribución a un proceso autodestructivo que se desencadenó en su cerebro tras salir forzosamente de la Universidad de Padua. Pero no le he traído aquí para hablar de Vesalio, sino de otra persona, de un estudiante llamado Michel de Villeneufve.

Michel de Villeneufve. Aquel nombre, así, en frío, no le dice nada.

–Michel de Villeneufve era un joven extraordinariamente preparado, y no sólo en medicina, sino también en letras. Conocía las doctrinas de Galeno perfectamente, mejor que yo. Y si no recuerdo mal, estuvo aquí en París, en la universidad, sólo un curso. Luego desapareció del mapa. Era un tipo inteligente y extraño. No hubo un solo día en todo aquel año que no disecáramos algún miembro: un brazo, una mano, un páncreas. Un día abriendo un tórax me dijo: «Mire, profesor, el aire y la sangre no se mezclan en el corazón; la sangre impura sale del ventrículo derecho por la arteria pulmonar hacia los pulmones, y una vez purificada regresa al corazón por la vena pulmonar hasta el ventrículo izquierdo, desde donde se impulsa a todo el cuerpo». Reconozco que no lo tomé en serio. Aquello sonaba como si yo le digo a usted, mire, los alimentos no van al estómago, sino a los tímpanos. Era una idea que iba contra el sentido común. Y el sentido común era Galeno. Y Galeno dice que la sangre se genera en el hígado y en los pulmones, y que desde allí es bombeada al cuerpo. Galeno no dice que la sangre regrese otra vez al punto de partida; sino que la sangre arterial y la venosa son dos corrientes separadas; y que su movimiento no es circular, sino de flujo y reflujo.

»Sin embargo, aquellas palabras de Villeneufve no se me fueron de la cabeza. De vez en cuando pensaba en ellas y cada vez que lo hacía aquella hipótesis me resultaba menos disparatada. Hoy estoy seguro de que Villeneufve tenía razón. Hay efectivamente una circulación secundaria, independiente de la principal, que sirve para purificar la sangre en los pulmones, antes de que el corazón la envíe a todo el cuerpo. Esa es la única explicación lógica que justifica el desproporcionado tamaño de la arteria pulmonar. Galeno habla de unos poros que comunican los ventrículos derecho e izquierdo, pero yo he visto con mis propios ojos que ese tejido no tiene poros. El septum es impermeable. Lo asombroso es que Villeneufve no dio ninguna importancia a aquella observación. Una observación que, de confirmarse, supondría un descubrimiento capital, uno de esos avances en la ciencia que justifican toda una vida de trabajo y de investigación.

Michel de Villeneufve, repite mentalmente Pfister. No sabe por qué, pero le suena mejor. Con aquel nombre son dos las iniciales –M y V– que coinciden con la firma del final. Va mejorando. Además, el carácter que Gunther está empezando a dibujar casa mejor que el deprimido temperamento de Vesalio con el perfil que trasluce *La restitución*.

–¿Conserva usted algún manuscrito de este Villeneufve? –pregunta Pfister, que está considerando la posibilidad de comparar sintaxis.

Lamentablemente, Gunther no tiene ningún autógrafo de Villeneufve. Pero conserva algo mejor: conserva algunos de sus libros. Libros escritos por él.

–Y qué libros. Le digo que este Villeneufve era un hombre excepcional. Según me dijo, él ya había estado en París antes, en el 33, cursando en el Colegio de Calvi las disciplinas preparatorias para la universidad y dando clases particulares de matemáticas en el Colegio de los Lombardos. Luego se marchó de París, pero no me dijo por qué. A mí me hacía gracia que él siempre se marchara de los sitios al poco tiempo de llegar. Ahora ya voy entendiendo el porqué. Pero cuando regresó cuatro o cinco años después, cuando yo lo conocí, no era un muchacho pobre y desconocido, sino un joven muy prometedor, que acababa de preparar una excelente edición de la *Geografía* de Ptolomeo.

Gunther se levanta y le trae un infolio bellísimo y cuidado, impreso a doble columna.

–Veinticuatro años tenía cuando publicó esta joya. Symphorien Champier, que era muy amigo mío, me había escrito una carta·en la que me pedía que cuidara de él. Me decía que era un muchacho excepcional, y me mandaba un librito suyo que acababa de salir. Mire, también se lo he traído.

Gunther le tiende un folleto de ocho hojas en octavo titulado *In Leonardum Fuchsium apologia, autore Michaele Villanovano* y publicado en 1536.

–Champier tuvo un debate público con un médico de Heidelberg llamado Fuchs. Discutieron sobre qué tradición médica era más valiosa, si la galénica o la árabe. Villeneufve participó en la polémica con esta defensa de Champier.

–Me quedo con los dos libros, si no le importa.

–Si quiere llevarse la *Geografía,* llévese la segunda edición, que está muy mejorada. Y tendrá que llevarse más libros. Porque durante su estancia en París, mientras me ayudaba en las disecciones, mientras tomaba notas mentales sobre el desmesurado tamaño de la arteria pulmonar, mientras elaboraba hipótesis que explicaran esta aparente anomalía y mientras seguía dando clases particulares de matemáticas e impartiendo conferencias sobre geografía, Villeneufve escribió este otro libro, que le dio mucho dinero.

Gunther deposita ahora sobre la mesa un ejemplar en octavo, de 70 hojas sin numerar, impreso en París en 1537: *Tratado universal de los jarabes*.

–El único defecto de Michel era su soberbia. Una soberbia en cierto modo justificada. Tenía veintiséis años y había publicado ya tres libros. No había concluido su primer curso de carrera y ya impartía conferencias a las que asistían catedráticos de universidad y gente muy importante de la Iglesia. Él era un hombre muy valioso, de eso no hay duda. Pero también era un hombre muy joven, y eso le impedía templar con modestia su evidente brillantez. Estaba convencido de que tarde o temprano el mundo se pondría a sus pies. Y no era que le molestara que otro le llevara la contraria. No era eso. Era que no entendía cómo siendo él un hombre tan preparado y tan clarividente, cómo siendo él portador de la verdad, alguien podía tener la desfachatez de contradecirlo. No miraba con ira a quien le plantaba cara, lo miraba con perplejidad. Yo era su maestro y algunas veces lo corregía; pese a su inteligencia y aunque le costara admitirlo, yo sabía más anatomía que él. Cuando lo sacaba de algún error, él me miraba sin entender cómo se había podido producir el maravilloso fenómeno de su equivocación. Y su soberbia lo arruinó. Un día, Tagault, el decano, recibió una denuncia anónima. Decía que en sus conferencias Villeneufve pronosticaba desastres y enfermedades basándose en la posición de los planetas, y que estaba a punto de publicar un libro, otro más, sobre la conveniencia de que los médicos supieran astrología.

En las manos de Gunther aparece ahora un finísimo volumen de ocho hojas en octavo: *Defensa de la astrología.*

–Hace tiempo que la astrología está prohibida en la universidad. La ley dice que quien la enseña debe ser quemado en la hoguera. Tagault, que como usted ha podido comprobar es una persona muy moderada, quiso hablar con Michel, saber si era verdad lo que decían de él, y disuadirle en su caso de que publicara el supuesto librito sobre la astrología. Como le he dicho antes, a Michel le producía una enorme perplejidad cualquier otra reacción ante su obra que no fuera el aplauso unánime y la admiración. Era incapaz de entenderla. Y cuando alguien no entiende algo suele reaccionar violentamente. Tagault intentó hablar con él, pero Michel lo insultó en público y no quiso saber nada. No le dejó alternativa: el decano tuvo que iniciar un proceso judicial. Los miembros del tribunal le vinieron a decir que tenía que dejar de dar conferencias, y que tenía que mostrar un poco más de respeto por sus profesores. Y confiscaron su librito. Y de nuevo vi en los ojos de Michel aquella incapacidad para comprender la reprimenda, aquella expresión de estupor. ¿Cómo era posible que un tribunal de gente tan mediocre no cayera rendido a sus pies, deslumbrado por su saber? Michel cogió sus cosas y desapareció. No niego que en todo este asunto la envidia tuviera algo que ver. Un alumno que sabe más que tú y que te da conferencias es un peligro público; una evidencia andante de tu propia ignorancia, de tu incompetencia. En algún momento alguien debió de dar la orden de quitárselo de encima. El procedimiento elegido para conseguirlo fue muy sucio, pero es muy habitual en la academia: la difamación.

A Pfister lo que más le está alegrando de esta conversación con Gunther es que las revelaciones del doctor están haciendo innecesario el inminente viaje a Villach. Cualquier otro desplazamiento, por largo que sea, será siempre más corto.

–¿Y dónde puedo encontrar a este Villeneufve?

–No lo sé, señor comisario. He perdido todo contacto con él. Lo único que puedo decirle es que diez años después de su marcha, cuando ya prácticamente lo había olvidado, me envió esto.

Gunther alcanza de uno de los anaqueles más cercanos una Biblia en folio. *Biblia sacra ex Santis Pagnini translatione*, publicada en 1542.

–Es una nueva edición de la Biblia traducida por Pagnino. Me la envió con una carta en la que apenas hacía referencia a su vida durante esos últimos años. Sólo daba un nombre concreto: Charlieu, un pequeño pueblecito a diez o doce leguas de Lyon, donde había estado viviendo no sé si un día, un mes o varios años.

Pfister abandona el almacén más que satisfecho. Su instinto le dice que este Villeneufve sí podría ser una pista con fundamento. Y por si fuera poco, la situación geográfica de Charlieu le permite visitarlo sin desviarse del camino que lo lleva a Lyon. Así que, más relajado, al salir, cuando ya son admisibles las conversaciones sobre el tiempo atmosférico y la salud, se atreve a formular una cuestión que le preocupa, pero que nada tiene que ver con el asunto y que hasta el último momento no se decide a plantear.

–Doctor –le dice finalmente– llevo una temporada sin flujo de vientre. A mí no me gusta hacerlo en el campo.

Gunther sonríe.

–Tome un poco de cañafístula –le recomienda–. En una libra y media de agua hirviendo eche cuatro onzas de lengua de buey limpia y machacada, tres onzas de culantrillo de pozo, tres onzas de simiente de malvavisco y tres de granos de berberís. Que repose toda la noche. Y tómeselo sin respirar.

Esa noche Pfister y Roland la pasan con los ojos abiertos. Roland durmiendo y Pfister hojeando los libros de Villeneufve. La *Biblia* es una edición muy documentada, con muchas notas, de la versión que en 1528 hizo en Lyon el dominico Sanctes Pagnini, al que Pfister ya conocía por sus gramáticas hebreas. La *Geografía* es otra muestra de erudición. En las notas al texto Pfister reconoce los giros estilísticos y los heterodoxos regímenes preposicionales que han llamado su atención en *La restitución del cristianismo*. Ahí está también esa brillantez expositiva y sobre todo ese tono arrogante y soberbio con que en ocasiones formula sus ideas. Si no fuera por eso, a Pfister le costaría aceptar que esos tres libros están escritos por la misma persona. Le resulta abrumador que alguien pueda haber adquirido durante una sola vida conocimientos de geografía, botánica, medicina y astrología lo suficientemente profundos como para disertar públicamente sobre ellos. Mientras algunos médicos consagraban su vida a corregir un minúsculo detalle en la descripción hecha por Galeno de un órgano secundario, aquel hombre, Villeneufve, se permitía contradecirlo en un aspecto capital a pie de página, de pasada, sin darle mayor importancia, mientras elaboraba un ambicioso proyecto teológico.

Pero más allá del estilo, Pfister descubre dos detalles sorprendentes. El primero es que los editores de la *Biblia* y de la *Geografía* son sus queridos amigos, los hermanos Trechsel. El segundo, aún más curioso e inquietante, es que la segunda edición de la *Geografía* de Ptolomeo, corregida y aumentada por Michel de Villeneufve, está dedicada a Pierre Palmier, el refinado arzobispo de Vienne.

Decepción

Las jornadas de vuelta transcurren sin sobresaltos. Antes de ponerse en camino Pfister sigue extendiendo los brazos y las piernas para que los espíritus vitales acudan a los miembros exteriores y los del cerebro se sutilicen. Sigue lavándose las manos con vinagre, refrescándose la cara con agua de rosas y limpiándose los ojos con agua fría. Sigue peinándose para exhalar los vapores del cerebro, lavándose la boca, enjuagándose las limosidades de los dientes, cortándose las uñas y comprobando que su saliva es sutil y que la cena de la noche anterior ha sido digerida sin dificultad. Pero sigue sin hacer cámara. Por los caminos ha conseguido algo de culantrillo, malvavisco y berberís. Lo que no logra encontrar es lengua de buey.

–Hemos ido a París en busca de un hombre y resulta que lo tenemos al lado –comenta Pfister la última jornada.

Apenas ha hablado con Roland durante el viaje, y se siente obligado a justificar la próxima entrada en Charlieu. Pero Roland no lo oye. O eso parece. Es extraordinaria su destreza para tallar la madera mientras gobierna el caballo. Pfister se ha acostumbrado a dirigirse a él con la sensación de que no lo escucha, de que ni siquiera advierte que está hablando.

–Mientras yo hacía el ganso –prosigue Pfister–, este hombre vivía en Lyon y firmaba un contrato con dos impresores amigos míos. Tengo la intuición de que este tipo, Villeneufve, forma parte de la jerarquía o está muy cerca de ella. De todos modos, aprovecharé que pasamos cerca de Charlieu para entrar en el pueblo y hacer algunas preguntas. Villeneufve vivió allí una temporada. Nunca se sabe qué podemos encontrar.

–No creo que esté en Charlieu –dice Roland sin levantar los ojos de su talla.

Es la primera vez que le responde. La novedad sobresalta a Pfister, que no está acostumbrado a que le preste atención.

–¿Por qué dices eso? –pregunta con cautela.

–Ese libro, *La restitución del cristianismo,* lo ha escrito un hombre caliente y seco, es decir, un hombre inquieto y nervioso, un hombre incapaz de permanecer mucho tiempo en el mismo sitio. Y Gunther le dijo que aquella carta donde Villeneufve le hablaba de Charlieu tenía más de diez años.

Pfister está asombrado. Roland no sólo oye; también escucha. Y por lo visto muy atentamente.

–¿Has leído *La restitución?*

–Lo he hojeado. No he entendido gran cosa, pero sí he advertido mucha argumentación enfática y mucha variedad de recursos dialécticos, que son las armas de los hombres calientes.

Roland habla sin dejar de pelar la madera.

–¿Y has advertido algún otro rasgo? –pregunta Pfister admirado.

–He advertido que es un hombre colérico, pero con tendencia a la melancolía. Si no, no se explica ese abuso del ablativo absoluto. No parece tener interés en formar su propia iglesia; no hay ningún rasgo estilístico propio de los profetas. Prácticamente no hay vocativos. Aparentemente es antiescolástico, pero sus argumentaciones son muy, muy escolásticas. Se trata de un hombre antielocuente, muy poco solemne y bastante sarcástico, con tendencia a los desarrollos argumentales en espiral, lo que significa que está obsesionado con su ano, que es intelectualmente muy denso y que puede hacerse en ocasiones indescifrable. En el trato personal debe de ser un poco pesado. Hay reiteraciones innecesarias, exceso de argumentos, amontonamiento de citas bíblicas. No tiene medida. Sabe que es un erudito, se sabe preparado y lo quiere demostrar. Se gusta. Se gusta mucho. Un hombre melancólico a quien le gusta exhibirse, como a todos los anabaptistas. Un hombre contradictorio y atormentado que utiliza muchas antítesis. Pero, claro, eso no es decir mucho, porque ¿quién no es contradictorio y atormentado? ¿Quién no utiliza antítesis?

Roland va tan concentrado en lo que dice y Pfister tan embobado oyéndolo hablar que ninguno de los dos advierte ciertos signos inequívocos de peligro: un paraje desierto, dos jinetes a su espalda y otros dos que aparecen de pronto cincuenta pasos por delante. El camino además se ha convertido en un sinuoso y estrecho sendero que atraviesa un valle. No hay vía de escape. Al salir de un recodo son rodeados por seis hombres que los obligan a desmontar. Uno de ellos les tapa los ojos y ambos son conducidos por la ladera de una montaña hasta una oquedad por la que se van colando uno a uno. De aquella cueva parte un estrecho pasadizo natural que recorren en silencio escoltados por sus raptores. Unas veces pisan guijarros y otras veces notan sus pies hundidos en el fango. Desde el final del pasadizo proviene un rumor de voces que se va haciendo más y más nítido a medida que se acercan. Cuando parecen haber llegado a su destino las vendas de los ojos caen al suelo.

Se encuentran en el interior de una montaña, en un espacio dotado de luz natural y acondicionado para vivir con cierta comodidad. La temperatura es muy agradable. El suelo está cubierto por gruesas alfombras y la rusticidad de las paredes ha sido embellecida con tapices colocados del revés. Hay divanes, lechos, mesas con frutas, escaños y hasta un sitial por el que trepa un enjambre de niños. No sólo hay niños, también hay adolescentes, mujeres y ancianos que como en un mercado hacen corros y van de un sitio para otro. Aquello es una ciudad en miniatura y nadie parece advertir la presencia de los recién llegados, que son conducidos ante un hombre de rostro verdinegro y ojos encendidos, corpulento, de barba cerrada y negra, calvo, que está sentado en el suelo comiendo con las manos de un plato que contiene una materia difícil de identificar.

–Son gachas con torreznos –dice.

Tiene las facciones duras, la piel cuarteada y unos ojos azules que destacan en un rostro tostado por la vida al aire libre. Debe de ser el jefe. Uno de los asaltantes se inclina hacia él para explicarle las circunstancias de la captura mientras otro extiende en el suelo las pertenencias que les han confiscado; esa es la palabra que usan, *confiscar*. Por el momento, no parecen haber descubierto el bolsillo secreto del arzón. Hay algo de ropa, algo de comida; y toda la bibliografía de Villeneufve, incluido el grueso manuscrito de *La restitución*. El jefe se chupa los dedos, se los seca en la pechera y coge el libro. Lo hojea con sumo interés. Elige varios párrafos y los lee asintiendo, levantando de vez en cuando la mirada y posándola con admiración sobre Pfister, a quien considera lógicamente su autor.

–Yo a ti te conozco –le dice poniéndose en pie–. Tú eres Bernd. Bernd Rothmann, ¿verdad? Has engordado un montón.

Está delante de Pfister, con los brazos a lo largo de su pequeño cuerpo rufianesco, un poco separados del tronco, y las palmas abiertas, como si quisiera indicar que no oculta nada, que está mostrándose tal cual es.

–¿No te acuerdas de mí, Bernd? Soy Krug. Arnold Krug, el que vigilaba la muralla de Münster. Discurrí un mecanismo para tocar las campanas de la catedral desde allí. ¿Te acuerdas? Soy el hijo de Marion y Andreas Krug. Teníamos una zapatería frente al ayuntamiento.

Claro que se acuerda de él. Arnold, el fronterizo. De niño alguien le echó limadura de uñas en su refresco de limón y lo volvió loco. Eso es lo que se decía en el pueblo. Arnold pasaba sin motivo y en cuestión de segundos de la euforia al desánimo, de la ternura a la crueldad, del amor al odio. Era impredecible, incapaz de anclar un estado de ánimo más de cuarenta minutos. Había sido soldado del emperador y luego se había quedado sin ejército, lo que unas veces le hacía sentir alegría y otras pena. O ira. Durante el cerco a Münster lo nombraron centinela y estuvo todo el tiempo muy entretenido.

–Por favor, Bernd, siéntate y come algo. Qué sorpresa. Cuéntame. Cuéntame qué ha sido de tu vida. Cuéntame a qué te dedicas ahora.

Pfister no sabe si relajarse o aumentar sus cautelas.

–¿Ahora? Ahora me dedico a cosas de imprenta. Diseño letras, grabo punzones, abro matrices y fundo tipos. Tengo un taller en Lyon.

–Ya sabes que lo mío no son las letras, pero grabar letras me parece más cristiano que grabar joyas. Me acuerdo de tu taller en el pueblo. Yo preguntaba: ¿dónde está Bernd? Y siempre me decían: en su taller, Bernd está en su taller. Ay, Bernd, Bernd; te metiste en tu taller y desapareciste. Si hubieras seguido al frente de todos nosotros la restitución no hubiera fracasado.

–La restitución no fracasó, Arnold –dice Pfister olvidando la prudencia–. Al final lo restituimos todo. Restituimos hasta la monarquía absoluta. ¿O es que ya no te acuerdas del rey Jan acompañado de sus más fieles consejeros saludando al pueblo tres veces por semana en la plaza del mercado? Lo estoy viendo ahora mismo sentado en su trono sosteniendo una manzana, símbolo del imperio universal. Unas veces se deja besar la mano con mucha pompa y solemnidad y otras veces se sienta como uno más en las mesas alargadas que los domingos soleados se colocan en la plaza, o incluso sirve comida y bebida mientras la gente ríe y canta. ¿Te acuerdas de las canciones?

Toda alma piadosa debe beber
del cáliz de la amargura,
vino puro y rojo.
Pero Dios hará
que sean los impíos
quienes apuren las heces.
Y ellos vomitarán,
y eructarán,
y caerán
en la muerte que no tiene fin.
Entiende, amado cristiano.
Mantente firme,
propaga la honra de Dios.
Prepárate todo el tiempo para morir.

Arnold Krug se ríe a carcajadas recordando la canción. Ay, ay, ay, siempre tan irónico, dice. Y se retuerce de risa. Cuando se calma, añade:

–Había que animar a la gente como fuera. La moral estaba por los suelos. No teníamos comida, no teníamos bebida y los católicos acababan de descubrir un túnel que nos había costado años de trabajo. Se pensó que una fiesta como aquella divertiría a la gente. Por eso se hizo, Bernd. Pero es obvio que se cometió un error. Los enemigos de Münster, los que entonces vieron peligrar sus privilegios, los que en aquel momento temblaron al comprobar que era posible aplicar en la tierra las ideas de Cristo, no están dispuestos a permitir hoy otros experimentos como aquel. No quieren arriesgarse a que funcionen. A todos ellos les vino muy bien aquella bufonada final, porque así pueden hablar de todo aquello como si fuera producto de la desmedida ambición del frustrado Jan Beukels. Pero no hay que hacerles el juego.

–¿Sabes que Beukels trató de negociar su perdón a cambio de renunciar públicamente a sus creencias?

Arnold Krug adquiere de repente un aire serio.

–Eso he oído, pero no me lo creo.

–Pues créetelo. Knipperdolling y Krechting se mantuvieron fieles, pero Beukels se vino abajo con el tormento y quiso negociar a última hora.

–Los verdaderos anabaptistas no delatan a sus hermanos. Y Beukels lo era. Podría estar equivocado; seguramente lo estaba, pero era un buen hermano. Y aunque así fuera, aunque Jan Beukels fuera un hijo de puta, ¿qué? El fracaso de Münster no es el fracaso de las ideas que lo inspiraron, sino todo lo contrario. ¡Esas ideas atrajeron a mucha gente, Bernd! En Münster demostramos que es posible organizar la sociedad cristiana de otro modo: sin jerarquías, sin privilegios, sin riquezas. Exactamente como dice Jesucristo. Exactamente como vivieron los primeros cristianos.

Alrededor de Arnold y Pfister, que se han sentado en una mullida alfombra, han ido arremolinándose varias personas, que escuchan en silencio la conversación, como si se tratara de un debate. Alguien pone delante de Pfister un plato de gachas.

–¡No os podéis imaginar la cantidad de hombres y mujeres que vinieron a Münster de todas las partes del mundo! –exclama Krug mirando a los suyos–. Esas ideas siguen vivas, aunque Beukels sea un hijo de puta. Otra cosa es que esas ideas fueran traicionadas. Que lo fueron. Pero eso no es culpa de las ideas. Eso es culpa de las personas.

–Yo pienso exactamente lo contrario: si las personas no son capaces de poner en práctica unas ideas, el problema está en las ideas. Porque las personas somos como somos, y las ideas han de tener en cuenta nuestras debilidades y nuestras ambiciones. Las ideas, si no hay personas que las pongan en práctica, no sirven para nada. El problema es que cuando uno cree estar luchando por una idea en realidad está luchando por el beneficio de una persona. Quien empieza negando la autoridad ajena acaba siempre imponiendo la suya.

–Exacto. Por eso hay que elegir con cuidado a los pastores que dirigen el rebaño. Yo ahora voy de pueblo en pueblo explicando la verdad, señalando los errores cometidos y orientando hacia el camino verdadero.

169

–Noble tarea, sin duda. Y poco reconocida. Lo digo porque la gente, siempre tan ingrata, no piensa que sois pastores, sino maleantes.

–Dicen que somos malhechores, sí, pero fueron los católicos quienes robaron primero. Nosotros lo único que hacemos es recuperar lo que es nuestro. Y vivimos como Cristo nos enseñó, como tú nos enseñaste, Bernd. Lo compartimos todo. Las mujeres y los niños también. Todo es de todos. Es cierto que también destruimos. Destruimos iglesias, sembramos modestamente el caos y tratamos de quebrar la confianza entre los hombres: que nadie confíe en nadie, que la gente tenga miedo a viajar, a confesar sus secretos, a abrir su corazón. Que nadie crea que ser católico equivale a vivir en paz. Luchamos para que el imperio sea cada vez más inseguro. Y también damos testimonio. Predicamos. Predicamos que la Iglesia católica no es necesaria para salvarse, que basta tener fe. Siempre me ha gustado esta idea. Me gusta que sea tan básica, tan sencilla. Me gusta que corroa, precisamente por su simpleza, la base del poder católico. Por eso nos mataron como conejos. Pero los que salimos con vida de Münster tenemos la obligación de contar lo que pasó y de propagar la fe. ¿Tú no lo haces?

–No. No voy por los pueblos quemando iglesias o asaltando caminos; no cometo pillaje, no incendio casas, no violo y no asesino. Espero que Dios con su infinita misericordia me perdone. Y tampoco cuento lo que pasó. Al contrario. Llevo varios años intentando olvidarlo. Yo me oculto, he cambiado de nombre, y además he llegado a la conclusión de que el rebautizo no constituye una buena razón para morir. Ni el rebautizo, ni la Trinidad, ni la resurrección de la carne. La Iglesia católica no es justa, de acuerdo, pero prefiero sus injusticias, conocidas y garantizadas, a los experimentos de cualquier loco. ¿Qué pasó en Münster, Arnold? No restituimos el cristianismo primitivo. No alcanzamos esa armónica comunidad anabaptista en la que la propiedad y el dinero han dejado de mover el mundo. Caímos en manos de unos cuantos locos sanguinarios, que se quedaron con nuestras casas, con nuestras tierras y que además se tiraron a nuestras mujeres, a nuestras madres y a nuestras hijas. Eso fue Münster.

–¿Qué quieres decir? ¿Que se cometieron excesos? Claro que se cometieron excesos. ¿Que se cometieron errores? Claro que se cometieron errores. Pero ¿quién no comete excesos? ¿Quién no comete errores? ¿Van a ser los católicos, precisamente los católicos, o los calvinistas de Ginebra quienes nos acusen a nosotros de haber cometido excesos y errores? Hasta ahí podíamos llegar. En Münster la gente se desesperó. Todos nos desesperamos. Pero ¿quién no se desesperaría con un cerco como el que sufrimos durante tanto tiempo? Bernd, tú dirigiste la restitución en su mejor momento, antes de que fuéramos sitiados, cuando la gente estaba ilusionada, cuando no faltaba de nada, cuando las cosas daban buen resultado. ¿Y funcionaba entonces? Claro que funcionaba. Luego, cuando nos cortaron los suministros, las cosas empezaron a ir mal. Pero ¿cómo no van a ir mal las cosas cuando la gente tiene hambre? Hay que volver a intentarlo, Bernd. Yo sigo creyendo en todo aquello con el mismo fervor. Yo sigo esperando la llegada de Jesucristo. No he perdido la esperanza. Mis ideas siguen intactas y he perfeccionado el mecanismo para hacer sonar la campana desde lo alto de una muralla. Y seguro que en el fondo de tu corazón tú también sigues siendo el mismo. Tú sigues escribiendo. –Krug palpa el manuscrito–. Y eso es buena señal. Yo soy un hombre de acción; pero sé que necesitamos un cuerpo teórico, unas bases ideológicas a las que poder recurrir periódicamente. Cambiaste mi vida y la de muchos otros. Nos abriste los ojos a toda una generación cuando aquella mañana subiste al púlpito y dijiste en voz alta lo que muchos pensábamos en silencio y no nos atrevíamos a decir. Supiste despertar en nosotros una energía y una conciencia que no creíamos tener. Un hombre tan excepcional como aquel Bernd Rothmann no puede desaparecer de la noche a la mañana. Y Münster no puede quedar resumido en la bufonada de los últimos días.

–Olvídate de Münster, Arnold. Afortunadamente logramos escapar.

–No todos, Bernd. No todos.

Mientras hablan, los niños de la comunidad trepan por ellos como insectos gigantes.

–Estas gachas están riquísimas –dice Pfister para enfriar un poco la conversación. Le da la impresión de haberse puesto demasiado vehemente–. No comía gachas con torreznos desde que las preparaba mi madre.

–Pues son muy fáciles de hacer –le dice Krug–. Sofríes un poquito de pimienta, clavo y alcaravea en un cuarto de manteca y enseguida vas echando la harina de almortas para que se vaya dorando. Añades agua caliente para que se deshaga y lo pones a cocer sin parar de darle vueltas.

–¿Te das cuenta, Arnold? Empieza uno cambiando el mundo y termina hablando de gachas.

Pero Arnold parece no oírlo.

–¿Sabes? –le dice Krug–. Volví al pueblo. Entré varios meses después disfrazado de mujer. Las calles estaban limpias y la actividad era exactamente la misma que antes. Me maravillé de la rapidez con que se borran las cosas. Si no hubiese sido porque metieron a Beukels, a Knipperdolling y a Krechting en unas jaulas que subieron hasta el campanario de San Lamberto; si no hubiera sido porque los vi, habría pensado que todo había sido una pesadilla. Ahí tienes otra razón para no rendirse: los gritos de nuestras mujeres y los alaridos de nuestros niños mientras los desollaban vivos no se pueden olvidar. Requieren venganza. Se puede hablar de gachas; pero hablar solo de gachas es indecente. Por cierto, ¿sabes quién preparaba unas gachas con torreznos deliciosas?

En el rostro de Krug se dibuja una sonrisa maligna antes de contestar a su propia pregunta:

–La reina Diara. ¿Te acuerdas de ella? Por aquí no la llamaban así. Por aquí la llamaban la Roja.

Al mencionar ese nombre, todos los presentes, arremolinados a su alrededor, rompen en una carcajada. Pfister hace esfuerzos por no preguntar. Arnold continúa:

–Cuando entraron los católicos, dio la casualidad de que estábamos juntos un peregrino francés, un tal Civillé, Diara y yo. Ella nos dijo que sabía hacer un unto que nos dejaría como muertos durante un día y medio. Si al encontrarnos los católicos nos echaban al fuego, no sentiríamos nada. Pero si nos enterraban en una fosa común, teníamos alguna posibilidad de sobrevivir. Acordamos venirnos al sur en caso de que todo saliera bien. Nos tumbamos, nos untamos y todo fue perdiendo matices hasta quedarse negro. Cuando abrí los ojos, lo primero que sentí fue la carne fría de los muertos sobre mí. Estaba dentro de una pila de cadáveres que iban a ser enterrados. Aproveché la oscuridad de la noche para deslizarme fuera y huir de allí. Me vine al sur, pero no encontré a Diara hasta muchos años después.

Pfister no quiere oír aquella historia y se pone en pie.

–¿Adónde vas? –le pregunta Krug–. Siéntate y escucha.

Arnold Krug es otra persona. Y todo adquiere súbitamente un aire irreal y despersonalizado. Han debido de echar algo en las gachas de Pfister.

–No sé de dónde diablos había sacado el dinero, pero el caso es que había comprado una hacienda con vacas, ovejas, cerdos, conejos y gallinas. Los animales se reproducían vertiginosamente, y sus cosechas eran siempre abundantes. Además hacía un pan buenísimo y unas conservas que la gente le quitaba de las manos. Ella también olvidó la causa. No quería oír hablar de Münster. Se dedicaba a cocinar gachas con torreznos y a fornicar con machos cabríos. Una frívola. Cuéntale lo que viste, Udo.

Los hombres de Krug se revuelven excitados. Uno de ellos, un muchacho muy joven, da un paso al frente. Parece encantado con la idea de convertirse por un instante en protagonista de la reunión.

–Una vez pasé por su casa. Iba con un amigo. Él entró y yo me quedé fuera. Entonces empezó a llover, y monté una tienda de campaña que llevaba y me refugié dentro. Al poco rato la Roja me trajo un poco de comida. Pero no me invitó a que entrara en la casa. Cené yo solo y debí de quedarme dormido porque cuando me desperté ya había escampado. Salí de la tienda. Era de noche. La casa estaba a oscuras. La rodeé y entonces vi luz en una ventana. Me acerqué a mirar y vi que la casa estaba llena de gente. Te vi a ti, Rothmann. Estabas sentado.

–¿A mí? No creo.

–Sí, a ti.

–¡He dicho que no creo! –grita Pfister, repentinamente irritado.

–Bernd, por favor, cede un poco en tu exigencia de verosimilitud; está hablando de una bruja –le reprende Krug–. Sigue, Udo.

–Te vi perfectamente, Rothmann. Estabas ante una mesa llena de manjares. Pero no estabas solo, a tu alrededor correteaban muchos niños, entre ellos mi amigo convertido en querubín. Yo me sentía como aturdido, como si estuviera fuera de mi propio cuerpo, sin una certeza clara de lo que estaba sucediendo. Tú y Diara empezasteis a bailar. Ella te fascinaba con sus ojos y te decía palabras encantadoras. La besaste. Y ella te desnudó. Tienes una verga descomunal, Rothmann. Diara tenía que tomarla con ambas manos, para poderla manejar. Ella también se desnudó, se colocó frente a la ventana y abrió las piernas de modo que su sexo quedó justo ante el hueco por donde yo miraba, y entonces pude ver que tenía dientes en el coño. Y no sólo dientes. Al entreabrir su vulva con los dedos, vi que en su interior culebreaban miles de serpientes. Y tú, Bernd, no te dabas cuenta. Tú estabas cegado por la lujuria, y la montaste mientras los niños, mi amigo entre ellos, se subían por tu espalda y te jaleaban. Al principio gozabas, pero cuando estabas a punto de llegar al éxtasis la vagina dentada se cerró, y te castró, Rothmann. Te retiraste gritando. Y al retirarte tú, la Roja me vio en la ventana mirando. Le habían crecido los colmillos. Entonces se revolvió como una hiena, y con un rugido animal se abalanzó hacia las cortinas y las cerró.

–Qué cosas tan raras, ¿verdad? –Arnold lo mira diabólicamente. Pero Pfister consigue no parecer alterado por la historia que acaba de escuchar. Sabe que todos esperan que pregunte qué ha sido de Diara, así que lo hace; pero intenta imprimir a su pregunta un tono de indiferencia.

—A la Roja la quemaron —responde Krug brutalmente—. Para la gente del pueblo era imposible, totalmente imposible, que una mujer sola hubiera sacado adelante aquella hacienda. Ella decía que era viuda y que la peste se había llevado a su marido y a sus cinco hijos, pero algunos empezaron a decir que quizás su marido padeciese una horrible enfermedad contagiada por los pavos, una enfermedad que le habría deformado monstruosamente la cabeza hasta hacer imposible su salida por la puerta. Quizás no sea su marido, dijeron otros, sino su semental, y lo tiene amarrado a la cama, boca arriba, permanentemente erecto para montarlo siempre que le venga en gana. ¿Y si los hubiese matado?, preguntó otro. ¿Y si hubiese sido ella y no la peste la que hubiera matado a sus cinco hijos chiquitines? No sería la primera vez que una mujer se come a su marido y a sus hijos. Hay casos probados, casos que están fuera de toda duda. Así que cierto día unos muchachos aprovecharon que la Roja estaba vendiendo mermeladas en el mercado para acercarse a la hacienda y verificar estos extremos. Y lo que vieron sus ojos fue horrible, la peor de las situaciones que cabía imaginar. ¡La hacienda era absolutamente normal! ¿Te das cuenta de lo que eso significa para un pueblo temeroso que necesita culpables? ¡La hacienda de la Roja era monstruosamente tranquila, estaba horripilantemente limpia, y todo parecía indicar que aquello había sido obra de una persona laboriosa, tenaz, hábil e instruida! Aterrorizados ante la espeluznante posibilidad de no tener nada que contar a sus vecinos, los muchachos recorrieron sobrecogidos el interior de la casa. ¡Maldición! Allí no había rastro de marido alguno, no encontraron ropa de varón por ninguna parte. Tampoco vieron restos de sacrificios humanos, ni botes con murciélagos disecados, ni pociones fabricadas a base de globos oculares. Por no haber, no había ni cabras, ni crucifijos, ni calaveras, ni una maldita inscripción con el número 666. ¡Todo estaba recogidito y curioso, los suelos barridos, los cristales impolutos, los cacharros fregados y la ropa planchada! Y por si todo esto fuera poco, los muchachos tuvieron que soportar la inhumana contemplación de unos campos de trigo vigoroso y de un huerto recogido y cultivado que prometía ya unas hortalizas gloriosas. Una angustia fría, una amarga desazón descompuso sus cuerpos cuando entraron en los establos. En su interior les pareció ver algo. Y efectivamente había algo. Concretamente: cuatro hermosas vacas lecheras con unas ubres reventadas de arterias, dos terneros, un caballo, una mula, un potrillo, dos cerdos negros, un jabalí, y algo más allá, un pequeño corral con dos gallinas, un gallo y una pareja de conejos. Trastornados por la próspera normalidad de aquel lugar, incapaces de comprender aquel fenómeno, abrumados ante la evidencia de que aquella mujer trabajaba como una bestia para mantener todo aquello, nuestros pobres muchachos enloquecieron. Salieron a todo correr, gritando que habían visto al marido muerto, crucificado cabeza abajo, rodeado de velas en honor a Satanás. Y los vecinos parecieron entonces tranquilizarse. A partir de aquel día la vieron adorar a Lucifer, untarse pomadas y entregarse a la fornicación con animales. La vieron desenterrar por los caminos a los ahorcados y montarlos a horcajadas. En Pascua la vieron comulgar y escupir la hostia sobre los excrementos de un macho cabrío. Usaba espejos, anillos y frascos para convocar a los demonios, que la ayudaban a arar la tierra, a destruir los cultivos ajenos y a provocar tempestades. La vieron anudar cordones, fabricar filtros de amor, raptar niños, comérselos. La vieron acudir volando al sabbat, besarle el culo a un sapo, mamársela a un gato negro y fornicar con un hombre muerto que merodeaba por los alrededores, dócil y atolondrado como un perro salido. El caso es que un buen día los vecinos entraron en la hacienda de la Roja y se liaron a palos con todo. Rompieron ventanas, muebles, cacharros, echaron a perder la comida que se almacenaba en la despensa y prendieron fuego a la ropa y a los campos de trigo. Destrozaron el huerto, degollaron animales, y a ella se la llevaron para quemarla.

Pfister se siente de pronto extraordinariamente cansado. Se gira hacia Roland, pero Roland no está; y a él esta ausencia repentina, en vez de parecerle alarmante, le parece de lo más natural.

–Tengo sueño –dice.

Dócilmente, se deja conducir hacia un recodo aislado de la cueva donde hay un jergón. O quizás lo que sucede es que lo están arrastrando hacia él, y que lo tumban de un empujón. Lo único seguro es que cae en un pesado sopor.

Cuando se despierta, Krug y algunos de sus hombres están a los pies del camastro. Los oye hablar, pero no entiende lo que dicen. En la cueva no hay nadie. Las mujeres, los niños y los ancianos han desaparecido. Pfister se siente abotargado, sin reflejos. Sin duda le han echado algo en las gachas. Permanece boca arriba, incapaz de fijar la vista, que vaga por todas partes desenfocada y perdida. Hasta que Krug le pone delante de sus ojos el salvoconducto de Ory. Y entonces la fija.

–Bernd, eres un hijo de puta. A Beukels por lo menos se lo comieron los cuervos, pero tú, cabrón, tú has seguido coleando. Nunca se me habría pasado por la cabeza pensar que yo iba a ser el elegido para corregir este pormenor. Doy gracias al Señor por confiar en este su humilde siervo.

Krug se echa mano al cinto y desenvaina un descomunal cuchillo. Al ver aquello, Pfister hace un esfuerzo supremo y se incorpora. Y como sucede en ocasiones con los amaneceres brumosos, que se aclaran con el primer rayo de sol, el cambio de postura parece diluir el espesor de su pensamiento. Repentinamente se siente muy lúcido. Pfister se pregunta si aquella no será la claridad de entendimiento que precede a la muerte.

–Arnold, escucha; yo sólo soy Bernd Rothmann en tu memoria; en tu imaginación. Pero esta que ves aquí no es la persona que hace veinte años, creyéndose como suele ser habitual en nuestros tiempos dueño absoluto de la verdad, llevó a su gente, a sus vecinos y a sus familiares, a la muerte más inútil de cuantas se conocen, que es la muerte por las ideas.

–¡Ah! ¿No eres Bernd Rothmann? Entonces, ¿quién eres?

–No sé quién soy, Arnold. Solo sé quién no soy. Y no soy aquel inexperto jinete que durmió en la humilde mula del compromiso, del desinterés, de la entrega a los demás, y que se despertó en el caballo desbocado de la vanidad.

Pfister se asusta al oírse. ¿Por qué diablos habla así? ¿Será la cursilería otra de las señales que anuncian la muerte?

–No soy Bernd Rothmann –prosigue–. Bernd Rothmann escapó de Münster en 1535 y no ha regresado jamás. No sé qué ha sido de él. Aquel fanático desapareció de mi vida para siempre. Mi nombre es Joachim Pfister; no comparto ninguna de las ideas que fundamentaron aquella payasada, ni me siento responsable de lo que hizo aquel sujeto. Rothmann y yo somos personas diferentes y hoy nadie puede hacerme responsable de sus palabras ni de sus actos. No te dejes llevar por el espejismo de tus sentidos, Arnold. Si lo piensas detenidamente, no hay nada más injusto que hacernos responsables de nuestras acciones pasadas.

–Cállate. No volverás a hipnotizarme con tu palabrería.

–Arnold –Pfister se pone en pie e intenta una súplica desesperada–, yo no he querido traicionar a nadie. Pero tampoco quiero morir. Eso es todo, Arnold. Lo que no quiero es morir. Hay noches en las que no puedo soportar el dolor de la muerte, Arnold, la certeza de que voy a desaparecer...

Pfister no puede terminar. En ese momento Roland irrumpe en la escena. Al verlo, los hombres de Krug se abalanzan sobre él. Pero Roland se revela como un excelente espadachín. Sólo que no tiene espada. Parece más bien un acróbata, un contorsionista. Salta, vuela, gira sobre sí y se saca de encima a los hombres de Krug sin aparente dificultad. Basculando el tronco hacia un lado, Roland es capaz de elevar la pierna contraria hasta el rostro de sus contrincantes, en el que impacta con el pie dejándolos fuera de combate. En esta primera escaramuza caen dos de ellos. Con la pierna levantada y recta Roland traza giros sucesivos de 180 grados, que barren a quienes se encuentran dentro del área de una circunferencia imaginaria de radio igual o menor a la longitud de su pierna y centro en sus genitales.

Krug comprende que ha de darse prisa si quiere matar a Rothmann, así que se vuelve hacia él y le dice:

–He dado mi vida entera por ti. He seguido tus enseñanzas al pie de la letra, he perdido a mi mujer después de que la forzara todo un ejército de católicos, he oído gritar a mis hijos mientras les arrancaban la piel a tiras y resulta que todo es mentira, que eres un simple hijo de puta que se ha hecho comisario de la Inquisición.

Y con un rapidísimo y seco movimiento de brazo clava el cuchillo en el vientre de Pfister. Se lo hunde hasta las cachas y a continuación lo saca de golpe.

Pfister siente que se desinfla, que no le hace falta ya la lengua de buey, ni el culantrillo, ni el malvavisco, ni el berberís. Pero no es que haya recuperado el flujo de vientre, como él cree; es que se está desangrando.

Pulmones

Esta abadía fue fundada en el año 875 por unos monjes benedictinos que vinieron de Touraine. Ha conocido mejores tiempos. Un siglo después de su fundación, cuando se unió a Cluny, se convirtió en paso obligado camino de París. Luego, apartada de las rutas principales, fue declinando y reduciéndose hasta desaparecer. Durante mucho tiempo la abadía permaneció abandonada, en ruinas, hasta que una pequeña comunidad, esta vez de monjas, la puso de nuevo en funcionamiento.

Diseñada originariamente como una ciudad autosuficiente, la abadía –que en realidad es un simple priorato– está rodeada de un muro circundante con una sola puerta. Un poco más allá está el locutorio y la celda de la portera, que colinda con la hospedería. A continuación, el oratorio principal y el refectorio; y sobre estos, el dormitorio de las monjas y la sala capitular. El claustro, situado al sur de la iglesia, rodea la abadía. Sus galerías presentan grandes arcos apuntados que encuadran bajo los tímpanos dos arquillos de medio punto sostenidos por columnas geminadas. Apartado de todo ello se encuentra el dormitorio de las novicias, prácticamente en desuso, los almacenes, las cuadras, el cementerio y la enfermería, una pequeña cámara con dos camastros y un pequeño mueble para las medicinas. Tumbado en uno de estos dos jergones, Pfister delira. Está solo.

Roland lo había llevado hasta la abadía en su propio caballo, y había pedido a las monjas que fueran en busca de un médico mientras él intentaba contener la hemorragia. Había visto muchas, y enseguida se dio cuenta de que la herida de Pfister era muy mala. Ese cabrón de Krug sabía perfectamente cómo dar una buena estocada. Durante todo ese tiempo Pfister mantuvo la conciencia. No me quiero morir, no me quiero morir, murmuraba. Pero mientras esperaban al doctor, perdió el conocimiento, y Roland creyó que se le iba. Ante la espantada mirada de la abadesa y de la boticaria, Roland consiguió reanimarlo justo antes de que la hermana portera entrara acompañada de un hombre anciano, que enseguida se inclinó sobre el cuerpo de Pfister, inspeccionó la herida y repartió cometidos. Que unas hicieran jirones las sábanas y otras prepararan calderos con agua fría y agua caliente. A Roland le tendió un tarro y un lienzo pulcramente doblado para que se lo aplicara a Pfister en las narices en caso de que se despertara. Y luego se puso manos a la obra. Abrió aquí, cortó allá, cosió esto y aplicó apósitos. De vez en cuando se detenía y le pedía a Roland que le enjugara el sudor de la frente. Sus movimientos, que al principio de la cura habían sido nerviosos, rápidos, precisos, fueron haciéndose parsimoniosos.

–Ha perdido mucha sangre; no sé si se salvará –diagnosticó mientras se lavaba las manos en un caldero–. Si abre los ojos, que se alimente con caldos y huevos. Pero enseguida deberá comer carnes rojas, que crían hematíes.

Durante la operación nadie advirtió el interés de Roland por la hermana boticaria. Quizás ella sí, y por eso se ofreció a pasar la noche en el cercano dormitorio de las novicias. La abadesa no se opuso a esta alteración del orden, que consideró prudente y caritativa. Aunque el criado del enfermo iba a velarlo toda la noche, era posible que en el transcurso de la misma se presentaran complicaciones. Así que una vez que el médico y la abadesa se hubieron marchado, la hermana boticaria pasó a la cámara de las novicias. Y allí se coló también Roland tras dejar que transcurriera una prudente media hora.

Así que Pfister pasa la noche solo, delirando, con una respiración tan agitada como la de Roland y la hermana boticaria poco antes de alcanzar primero un orgasmo simultáneo y luego varios consecutivos.

Es una celda austera. Los muros están construidos con un sillar tosco y arenoso que parece adobe, y el suelo es de un barro cocido de mala calidad. Enfrente, sobre una especie de despensa, hay una estrecha ventana por la que entra una tenue claridad, y a través de la cual se oye el intermitente canto de un mirlo. Por lo demás, todo está en silencio. La sensación de debilidad es absoluta, pero no es desagradable. Es como si no tuviese cuerpo, como si no existiera. Debe de estar al borde de la muerte, piensa. Y constata que morirse no es para tanto; y que en ese acto final nuestra voluntad tiene mucho que decir. En este momento tiene la certeza de ser el único dueño de su vida y sobre todo el único dueño de su muerte. Ahora mismo, si quisiera, podría morirse con la misma facilidad con que uno se deja llevar por la placidez del sueño. Morirse forma parte del orden natural de los acontecimientos. Solo hay que abandonarse a ese remolino que da vueltas y vueltas alrededor del sumidero. Acurrucarse y desaparecer para siempre le resulta de pronto muy apetecible. Lo absurdo, y también lo más cansado, es resistirse a esa corriente natural y seguir viviendo. Durante unos instantes le parece que nada de lo que suceda puede afectarle. Ni siquiera la propia muerte. Digamos que se siente invulnerable, lo que dadas las circunstancias resulta grotesco. Pero este bienestar desaparece pronto. Y como si su cuerpo no consintiera ser ignorado por más tiempo, un agudo pinchazo en el abdomen le demuestra que no, que no se ha convertido en un espíritu, que está tumbado boca arriba en un camastro, que está cubierto hasta el pecho con una sábana que oculta el foco de dolor. La levanta trabajosamente y descubre que está desnudo, protegido únicamente por un vendaje a la altura del estómago.

Lo sucedido, lo que recuerda de lo que ha sucedido, va configurándose a medida que recupera la conciencia. Quiere saber dónde se encuentra, de modo que aparta la sábana y apretando los dientes se incorpora con gran esfuerzo. Ha de permanecer un rato así, sentado en la cama, recuperando el aliento. Pero los tres pasos que lo separan de la puerta se presentan ante él como un abismo insalvable. Se deja caer de nuevo sobre la cama y allí se queda hasta que, pasado un lapso de tiempo que no puede determinar, la puerta de aquella celda se abre por fin. Quien entra es una monja que enseguida advierte su despertar y su intento por levantarse. Acude prestamente a la cabecera de la cama, lo llama por su nombre, Joachim, y le pregunta cómo se encuentra; le toma la temperatura poniéndole la mano en la frente, inspecciona el vendaje y le regaña cariñosamente por haber intentado ponerse en pie.

La despensa que Pfister ha visto desde la cama es una pequeña botica en la que se guardan bajo llave tarros de diferentes tamaños y colores, apósitos e instrumentos de cirugía. Allí encuentra la monja lo que necesita para limpiarle la herida y cambiarle el vendaje. Lo hace con extremada delicadeza y mimo. Pfister la contempla. Es una mujer menuda, pero hermosa, de gesto apacible y manos expertas que mientras lo cura contesta pacientemente a todas las preguntas que dan vueltas en su cabeza.

Son las nueve de la mañana del miércoles 1 de marzo de 1553, se encuentra en la enfermería de la abadía benedictina de Charlieu, a doce leguas de Lyon. Ella es la hermana boticaria, se llama Marie, y él llegó hace un par de días en brazos de Roland. Lo dice así, en brazos de Roland. No dice en brazos de su amigo o en brazos de su criado o de su ayudante. Dice en brazos de Roland, como si ya lo conociera o como si, en estos dos días que Marie dice que han transcurrido desde su llegada, Roland no hubiera perdido el tiempo. La herida es grave, le dice, ha perdido mucha sangre, y la noche que llegó hubo que llamar a un médico. Es muy importante permanecer quieto, en reposo, e ir recobrando fuerzas poco a poco. Cuando Marie termina de cambiarle el vendaje, le cubre de nuevo con la sábana y le advierte, esta vez con severidad, que no debe incorporarse.

Durante ese día las entradas y salidas de Marie son continuas. Pfister percibe sus idas y venidas desde el fondo de un pastoso duermevela. Unas veces llega con algo de alimento, un caldo, un jugo de frutas, y otras veces solo acude para ponerle la mano en la frente y comprobar que la herida no sangra ni supura. También aparece frecuentemente otra monja, más joven, más delicada, y mucho menos habladora. Entra, barre el suelo, alisa el cobertor del otro camastro, limpia el polvo y se va por donde ha venido. También reconoce a Roland, que entra varias veces acompañado de un hombre que lo examina y lo palpa, y cuya manera de hablar le resulta incomprensible.

–¿Dónde aprendiste a pelear así? –le pregunta Pfister a duras penas en una de estas visitas.

–En un manuscrito chino del siglo VII antes de Cristo que cayó en mis manos por casualidad.

El tiempo transcurre lentamente y no en balde. Una semana después de su llegada, Pfister ha experimentado una evidente mejoría. Se siente más seguro de sus fuerzas y nota que su pensamiento discurre con más claridad. La hermana Marie sigue entrando y saliendo con sus caldos reconstituyentes y sus deliciosos jugos de frutas. En ocasiones aparece acompañada de Roland y del anciano que lo examina y lo palpa. Es el médico. Se llama Barents, y es un viejo optimista que parece estar siempre de buen humor. El buen humor, dice, es una medicina más eficaz que los emplastos que suelo recetar. Y mucho menos repugnante.

–Hoy le voy a poner uno de incienso blanco, sangre de drago, vino tinto, hiel de buey, piedra hematíes, todo muy picado con clara de huevo, y ya verá como en pocos días se restablece completamente. Amigo mío: está usted hecho un toro. Otro en su lugar no lo habría contado. Quienquiera que haya sido el que le ha dado semejante puñalada sabía lo que hacía, y le aseguro que quiso hacerle mucho daño.

El doctor Barents supone quién lo ha atacado. Quizás el nombre de Arnold Krug no le diga nada, pero sabe que en aquella zona abundan las cuadrillas como la de Krug, anabaptistas que difícilmente se distinguen de los simples malhechores. Muchas veces van a buscarlo a su casa para que ayude a parir o para que cure a alguien que ha sido gravemente herido en alguna pelea.

El doctor Barents, que lo visita casi a diario, resulta ser un hombre sensible, culto y un excelente conversador. Cuando Pfister comienza a valerse por sí mismo, el doctor Barents lo acompaña en sus cortos paseos por las galerías del claustro. Hablan de casi todo, de teología naturalmente, pero también de texturas tipográficas o de cuestiones relacionadas con la medicina. Y de cosas más íntimas.

–Llevo veinte años –le confiesa Pfister cierto día– paralizado por el miedo a morir. Hasta hoy lo primero que me venía a la cabeza cuando me iba a la cama era la certeza de mi propia muerte. La idea de desaparecer eternamente me producía una angustia y una congoja tan intensas que a veces tenía que levantarme para poder respirar. Lo curioso es que durante estos días en los que tan cerca he estado de la muerte no he vuelto a sufrir estos ataques de desesperación. Es como si haber barruntado el final, me hubiese hecho perderle el miedo. O como si empezara a aceptar que la muerte es la verdadera condición de la vida. En eso, al fin y al cabo, consiste saber morir, en aceptar que no hay consuelo.

–No, Joachim; en eso consiste saber vivir. Visto con los ojos de un médico, la muerte no tiene nada de particular. Los seres muertos sirven de alimento a los seres vivos y no hay química capaz de detener ese proceso. Mirado con los ojos adecuados, los gusanos que devorarán nuestro cuerpo son un milagro de la naturaleza. Además la muerte es muy relativa. Por eso algunas veces es tan difícil certificarla.

Pfister da un respingo.

–Si hay algo que me aterre más que morir es no morir. No morir y que me entierren vivo. Conozco varios casos de enterramientos prematuros.

–Hay gente que tiene tantas ganas de morir para alcanzar el Paraíso, que aprovecha una buena confesión, una confesión completa, para entrar en una especie de estado catatónico, inducido por sugestión, que es muy difícil de distinguir de la verdadera muerte. Por mucho que intentes oír la respiración, a veces es tan tenue que no hay modo de estar seguro. Puedes clavar estacas entre las uñas o aplicar hierros incandescentes, pero si el moribundo ha perdido la conciencia es difícil que la recupere. Yo he visto cuerpos que se supone que están muertos, pero que aumentan de tamaño. También he visto muertos que se mueven, que ríen y que lloran. He visto muertos que hacen gestos y corazones de cadáveres que siguen latiendo. La hija de Murot, el famoso fabricante de hierro, murió preñada de siete meses. Yo estaba entonces escribiendo mi tesis doctoral sobre la vida prenatal de Cristo y tenía mucho interés en conocer la colocación exacta del feto. Localicé la tumba de la mujer y empecé a desenterrarla. Cuando llevaba la mitad del trabajo hecho oí unos gemidos. Cavé frenéticamente hasta llegar al ataúd. Desclavé la tapa y no puedes imaginar lo que apareció ante mí. Allí no había cuerpo propiamente dicho, sino una masa informe de materia putrefacta. La mortaja estaba hecha jirones; el cráneo, abierto; y los sesos, desparramados por todas partes. Habían enterrado viva a la muchacha y ésta había parido a su criatura en el interior de la caja.

—Vosotros los médicos os pasáis el día en el cementerio.

—Necesitamos cuerpos. ¿Has oído hablar alguna vez de la Hermandad del Corpus?

—He oído mencionarla. ¿Qué es? ¿Una cofradía?

—Nadie sabe a ciencia cierta cuál es su origen. Unos dicen que la fundó Galeno, pero eso es improbable, porque Galeno jamás diseccionó un ser humano. Se habla también de Isaac de Judea, que según algunos textos apócrifos hizo la disección de Cristo, negada siempre por los católicos. Pero Cristo era un ajusticiado y eran precisamente los cuerpos de los ajusticiados los que se vendían para que los médicos los abrieran en canal y estudiaran sus vísceras. Según esta teoría, los apóstoles habrían hecho desaparecer el cuerpo diseccionado de Jesucristo, alimentando así la leyenda de su resurrección, tan poco rigurosa. A continuación desacreditaron públicamente a Isaac de Judea acusándolo de comer carne humana y consiguieron que el emperador le prohibiera trabajar con cuerpos humanos. Entonces Isaac de Judea no tuvo más remedio que crear una red secreta de abastecimiento. No sé si será verdad. De lo que sí estoy seguro es de que la Hermandad habría nacido de todas formas, debido por un lado a la férrea oposición de la Iglesia a la disección de seres humanos; y por otro, a la creciente demanda de cadáveres no sólo por parte de los fisiólogos, sino también por parte de los pintores y los escultores. Los artistas están convencidos de que no se puede representar el cuerpo humano sin conocer detalladamente su funcionamiento. La organización de la Hermandad es muy sencilla y eficaz. Cada ciudad teje su red de modo independiente. De esta forma si la Hermandad de París cae, sus miembros nunca podrán delatar ni bajo tormento a los hermanos de Lyon o de Villach. El único problema es entrar en contacto con la Hermandad cuando uno cambia de ciudad. Para facilitar la tarea se ha ideado una identificación y un lugar de contacto. Como divisa de la organización se ha elegido una piedra turquesa, que refuerza la vista y defiende de los peligros. Puede llevarse al cuello, como yo, ¿ves?, o engastada en un anillo. El lugar de contacto son los hospitales, lugares de gran trasiego, en los que es difícil llamar la atención y donde todos los días se produce algún fallecimiento. Los interesados en organizar una partida al cementerio en busca de algún cadáver nos dejamos ver disimuladamente en el patio de entrada o en los pasillos. El brillo de las piedras atrae inmediatamente la atención de otros miembros. Volvemos a reunirnos en alguna taberna, ultimamos los detalles y nos ponemos en marcha. El resto te lo puedes imaginar.

Pfister también aprovecha la convalecencia para leer los libros de Villeneufve que ni siquiera ha hojeado: la *Apología contra Fuchs*, el *Tratado universal de los jarabes* y la *Defensa de la astrología*. Suele hacerlo después del almuerzo, tumbado en su cama, mientras espera la llegada del doctor Barents. Antes de leerlos coloca sobre las emes mayúsculas una lente de aumento que le ha facilitado la hermana limpiadora, con la esperanza de que aquellos libros hayan sido compuestos con tipos fundidos por él, lo que facilitaría la identificación de los impresores. Pero aquellos mástiles ni siquiera tienen alguna gracia donde inscribir un angelote. La *Apología* es un libro tedioso, plagado de ablativos absolutos y de regímenes preposicionales heterodoxos, pero con una erudición abrumadora. Comienza atacando esa idea luterana de que no es necesario obrar bien para salvarse, que basta con la fe. A continuación intenta mediar en la discusión que sostuvieron Champier y Fuchs sobre si en medicina es más importante la escuela galénica o la árabe. Y termina con unos cuantos párrafos sobre la sífilis. El *Tratado universal de los jarabes* es un libro sobre la digestión, que discute la bondad o la ineficacia de los jarabes de plantas y frutas en la curación de enfermedades. La *Defensa de la astrología* es menos subversiva de lo que ha pensado. El buen médico –viene a decir– debe conocer algunas ciencias auxiliares de la medicina, entre ellas la astrología, pero en modo alguno puede diagnosticarse una enfermedad, o adivinarse el futuro, a partir solo de signos astrológicos.

–Si está demostrado que los fenómenos del Universo influyen en el hombre –le dice Pfister a Barents en otro de sus paseos–, es absurdo prohibir la astrología en las universidades. Los médicos deberíais estar obligados a conocer la constitución astral de los pacientes. Con la astrología no sólo podríamos prevenir enfermedades, sino que sabríamos además quién va a padecerlas y cuándo se van a manifestar. Podríamos predecir incluso comportamientos. Podríamos saber qué niños tienen una inclinación natural hacia la música, y cultivar su estudio en ellos desde muy temprano; o quién está especialmente dotado para el gobierno, o quién se siente atraído por el mal.

–Pero eso es muy peligroso –argumenta Barents–, porque entonces no faltaría quien propusiera castigar a priori, antes de que se cometiera el delito, para evitar precisamente que se cometiera. No, yo no creo que todo esté escrito en los astros. Admito una cierta influencia de las estrellas, como san Agustín, pero creo que el hombre es ante todo un ser libre. Los astros afectan al cuerpo, pero no a la voluntad. Además, si echamos la culpa de todo a los planetas, ¿dónde queda la responsabilidad del hombre para con los demás hombres? Es muy apetecible decir que el criminal es criminal porque así lo quiso la disposición de la Luna o de Marte; pero de este modo se borran las injusticias y el abuso de los poderosos. Si no se puede contravenir el designio de los astros, ¿por qué ayudar al prójimo? ¿Por qué corregir vicios o faltas, si nada se puede cambiar? Si yo fuera rey o papa, estaría muy interesado en que todos pensaran como tú. Pero más importante que la influencia de las estrellas es la condición en la que uno nace, su cuna, su familia, su fortuna. Una cosa es creer en la astrología, como hicieron Platón, Aristóteles, Pitágoras, Galeno e Hipócrates; y otra muy distinta predicar los embustes de la astrología judiciaria. Una cosa es creer que todos los cuerpos del universo, los de arriba y los de abajo, están relacionados; y otra muy diferente, creer en la doctrina que predican los treinta mil charlatanes que se aprovechan en París de la ingenuidad del populacho. La astrología judiciaria es incompatible con el libre albedrío, con la divina providencia y desde luego con la intervención de Dios en nuestra vida.

Es tras esta intervención de Barents bajo los arcos del claustro cuando a Pfister le da por preguntar:

–¿Oye, no serás tú el doctor Michel de Villeneufve?

La pregunta ha brotado de sus labios espontáneamente, sin que haya podido retardarla para juzgar su conveniencia: como si en realidad hubiese sido otro el que la hubiera formulado. Al oírla, el rostro del médico se ensombrece fugazmente, se contrae; pero enseguida recupera su habitual jovialidad.

–El mundo es un pañuelo –dice–. No me digas, Joachim, que conoces a Villeneufve.

–No sé si lo conozco, la verdad. ¿No eres tú?

–No, yo no soy Villeneufve. Villeneufve se marchó hace tiempo. Pero no sé por qué le has llamado doctor.

–¿No era médico?

–Que yo sepa, no. Era un hombre muy culto y muy preparado, pero no era médico. Hablábamos mucho, como tú y yo. De hecho, en cierto modo me recuerdas a él. Era muy agradable y tenía una conversación interesantísima. Pero no, no era médico. Un día desapareció. Una tarde estaba hablando con él como hablo contigo ahora, y al día siguiente ya no estaba, se había marchado para siempre.

Parece que en Charlieu tampoco será posible encontrar a Villeneufve. Pero no le importa. Es decir, le gustaría conocerlo, claro; pero después de la puñalada de Krug, la obsesión por encontrarlo ha salido de su cuerpo diluida en la sangre que ha perdido.

Una tarde, tras haberse quedado dormido mientras hojeaba la *Biblia* de Pagnino, se despierta sobresaltado. Y con razón. La monja que todas las mañanas limpia la enfermería está ahora sentada a los pies del otro camastro con todos los libros de Villeneufve en el regazo. Al notar que se despierta, la monjita no hace ademán de esconderse ni de disimular su interés. Todo lo contrario: lo mira intensamente con unos ojos grandes y brillantes y le pregunta si conoce a Miguel. No dice Michel, dice Miguel.

Pfister está desconcertado por la situación. El aplomo con que la monja le acaba de hacer la pregunta contrasta con su aspecto frágil y delicado. ¿Conoces a Miguel o no?, insiste. Más que una pregunta parece un desafío. Pfister balbucea una respuesta: que no, que no lo conoce, pero que le gustaría conocerlo, que ha estado buscándolo en París sin resultado. Entonces la monjita se tensa aún más; le extraña ese interés y le pregunta para qué quiere conocerlo. Pfister se acomoda en la cama, una estrategia conversacional que sirve para ganar tiempo y calibrar bien la respuesta.

–Estoy leyendo sus libros, ¿no lo ves? Me gustaría conocerlo porque lo admiro.

Brillante.

La monja parece relajarse, pero sus palabras aún contienen cierta hostilidad.

–No sería la primera vez –dice– que sus admiradores lo buscan para matarlo.

Entonces Pfister, más dueño de la situación, pone en funcionamiento todos sus conocimientos retóricos para ganarse a aquella mujer atemorizada, que no tarda en explicarle la razón de su desconfianza: la Inquisición española ha dado la orden de liquidar a Miguel.

–Varios años antes de ir a París, Miguel publicó un libro sobre los errores en los que habitualmente cae la gente cuando habla de la Trinidad, y entonces su hermano mayor, uno que es fraile, le escribió desde España una carta. Quería verse con él. Miguel aceptó pensando que era amor fraternal lo que le hacía viajar desde Navarra hasta Francia. Pero su hermano había dejado de ser su hermano. Antes que hermano tuyo, le dijo, soy inquisidor. Y después del primer abrazo intentó degollarlo.

Pfister y la monja se quedan en silencio. Se miran. Se escrutan. Pfister sabe que debe andar con pies de plomo para no espantarla, así que antes de dirigirse al centro de su interés da un amplio rodeo admirativo. Solo cuando está seguro de que ella ha bajado definitivamente la guardia, solo cuando deduce de sus gestos que la monja empieza a fiarse de él, aborda el asunto con cautela.

–Tú lo conociste mucho, por lo que veo.

–¿A Miguel? Sí. Vivió aquí tres años.

–¿En la abadía?

–No. En mi casa. En la casa de mi padre.

–Tu padre no será Symphorien Champier.

–No. Mi padre se llama Monteux. Sebastian Monteux. Champier le pidió a mi padre, a través de un amigo común, que diera alojamiento a Miguel y que le buscara un puesto como médico. A Miguel lo expulsaron de la Universidad de París precisamente por defender a Champier.

–Pero Michel, o Miguel, como lo llamas tú, no era médico.

–¿Quién ha dicho que no?

Pfister duda antes de contestar.

–El doctor Barents –dice por fin.

Al oírlo, la monja sonríe con displicencia.

–Es cierto que Miguel no pudo terminar sus estudios de medicina en París porque lo expulsaron. Pero los terminó en Montpellier. Si no, mi padre nunca le hubiera permitido trabajar como médico. El doctor Barents es un hijo de puta.

Las palabras *hijo de puta* retumban en la cabeza de Pfister. Si ya no es suficientemente onírica aquella aparición de la hermana limpiadora a los pies de su cama con los libros de Villeneufve entre las manos, he aquí otra: una delicada monjita dedicándole al bueno de Barents una expresión con más cuerpo que ella misma.

–Durante los tres años que vivió con nosotros Miguel contribuyó a la felicidad de Charlieu. Curaba a la gente, aliviaba sus dolores. Y habría seguido viviendo aquí de no haber sucedido lo que sucedió. Sucedió que la gente lo quería tanto que terminó por despertar la envidia de Barents, que hasta ese momento había sido el médico de todos nosotros, el médico del pueblo. Barents, el bueno de Barents, pagó a una cuadrilla de soldados sin ejército para que le propinaran una paliza. Lo abordaron una noche, cuando Miguel iba a visitar a un enfermo, y lo molieron a palos. Él se defendió e hirió gravemente a uno de ellos. Los jueces, apelando a no sé qué leyes, lo condenaron. La cosa no pasó a mayores, pero creo que eso lo empujó a salir de Charlieu.

Pfister saborea la información, pero trata de camuflar su interés.

–Por cierto, ¿cómo te llamas?

–Christine.

–¿Y Villeneufve cómo se llama en realidad? ¿Michel? ¿Miguel?

–Nunca se ha llamado Michel. Se llama Miguel de Villanueva y es de Aragón. Y no sabía que hubiera escrito todos estos libros. Sólo me habló de uno sobre la Trinidad. Y eso que hablamos mucho. Hablábamos muchísimo.

Una sombra de melancolía cruza el rostro de la monja.

–Cuéntame cosas de él, Christine.

La mujer baja la vista, y con un hilo de voz le confiesa que Miguel estaba obsesionado con la respiración, con el aire de los pulmones. La respiración purifica la sangre, le decía. Y se cogían de la mano, y se pasaban toda la tarde respirando, notando cómo el Espíritu Santo entraba en ellos. Esa era para él una manera de rezar. El alma no está en el corazón, ni en el hígado, ni en el cerebro; el alma no puede estar en ningún órgano estático, le decía. El alma está en la sangre, que es viajera. El alma está en perpetuo movimiento. Eso le decía. Y cuando le decía eso, ella ya sabía que tarde o temprano se marcharía de allí. En aquellas largas tardes de respiración también le aseguraba que Dios no era ese juez insondable y severo, inescrutable y alejado del hombre, que se escapa a cualquier intento de comprensión. No. Dios no es un ser en la cima de una pirámide, que señala impasible nuestra salvación o nuestra condena sin que podamos modificar esa decisión, tomada antes del origen de los tiempos. Tampoco es ese viejo simpático, lejano como un rey pero lo suficientemente próximo como para que la Virgen y los santos puedan, a instancia nuestra, influir en sus decisiones. No. Dios es la luz del sol que despierta a los animales por la mañana y ayuda a la fotosíntesis de los vegetales, decía. Dios es que los ríos fluyan y que las hojas caigan, que las semillas germinen y que los niños crezcan. Todos los seres del universo somos Dios; todos estamos hechos de Dios. Incluso el mal y la fealdad son parte de Dios; porque las plagas, las inundaciones, los terremotos y la peste también forman parte de las leyes del mundo. Como el vicio, la depravación y el pecado. Si no fuera por el mal, el bien sería diabólico. Algunas veces le cogía de la mano. Las plantas germinan y vegetan a semejanza de Cristo. Así empezaba y ella sabía lo que buscaba. Así como el rocío cae sobre los campos y hace que germinen las plantas, así también el seno de María recibe el semen de Dios. El semen de Dios, repítelo conmigo: semen de Dios. Él paladeaba esas palabras, semen de Dios, con la esperanza de que obraran en ella el deseo del coito. Otras veces acercaban sus bocas para respirar juntos el mismo aire; los labios se encontraban y las lenguas se buscaban. Entonces no importaba que los pecados de la carne acarrearan la muerte corporal y el consiguiente infierno. Sin embargo, se apoderaba de ellos una rara certeza. La certeza de que ese pecado y otros muchos que podrían cometer juntos serían fácilmente perdonados por Cristo.

Christine dice que todo el mundo cree que Miguel la dejó plantada, que se marchó del pueblo después de que lo apalearan, pero ella sabe, dice, que Miguel no se quedó en Charlieu para no arruinarle la vida, para no obligarla a vivir de un lado para otro. Para él una esposa era una compañera en la fe, una camarada en el entusiasmo misionero, alguien dispuesto para el martirio. No había distinciones de sexos ni privilegios a la hora de predicar la fe en Cristo. Pero al lado de su compromiso, había una parte de él que anhelaba vivir en la tranquilidad de aquellos valles. Christine dice que a Miguel le hubiera gustado formar con ella una familia, pero que al mismo tiempo era consciente de su misión. ¿Su misión? Dicho así parece un poco mesiánico; pero en Miguel, dice Christine, no había nada de mesiánico ni de profético: Miguel era muy racional y sólo buscaba la verdad. Eso es lo que siempre le daba problemas. Su misión era muy sencilla y al mismo tiempo imposible de cumplir: escribir un libro y restituir el verdadero sentido del cristianismo. Los dos sabían que la obligación de Miguel era dedicarse a esa tarea en cuerpo y alma. Pero saberlo no impidió, dice, que al marcharse Miguel el aire se acabara para ella y se apagara también su única luz. Y añade algo más. Cuando Pfister le pregunta si sabe dónde está, ella, sin dar a su respuesta mayor importancia, contesta que sí.

–Miguel es el médico personal de Pierre Palmier, el arzobispo de Vienne.

Salen de la abadía de Charlieu el mismo día que el doctor Barents, el hijo de puta del doctor Barents, considera que ya puede cabalgar de nuevo sin peligro de que la herida se abra. Pfister hace en silencio la última jornada de esta especie de viaje circular, que quizás no haya comenzado en Lyon, como parece, sino en Münster, veintitantos años atrás. Va reconstruyendo mentalmente la figura de Villanueva, colocando en su lugar las piezas, algunas aparentemente incompatibles, que ha ido obteniendo durante estas semanas. El boceto de este Villeneufve, o Villanueva, que hasta la conversación con Christine Monteux había ido perfilándose en su imaginación, coincidía en sus trazos maestros con el retrato de cualquiera de los muchos anabaptistas a los que había conocido en su vida: caballeros andantes de la teología, movidos unas veces por el más alto idealismo y otras por la pura vanidad; temperamentos contradictorios, dominados en ocasiones por la soberbia, en ocasiones por la ingenuidad; personajes desmesurados y risibles todos ellos, y por eso mismo inofensivos, nada inquietantes. La mayoría ofrecía un perfil grotesco que la invalidaba como modelo de comportamiento, como protagonista de un cuento moral.

Pero la conversación con Christine y las ideas que la lectura de Villanueva le ha provocado están cambiando algunas piececitas de lugar, están modificando este perfil del anabaptista estándar, digamos. La imagen de Villanueva que va configurándose durante esta última jornada de viaje es menos estridente en sus contrastes. Porque a pesar de la vehemencia con la que a veces se expresa, este Villanueva es, como le ha dicho Christine, un tipo muy racional. Por encima de la razón solo sitúa la ley de la naturaleza y la verdad que descansa –oscurecida y manipulada– en los textos sagrados. Fuera de ellas, este Villanueva no reconoce ninguna autoridad. Y es precisamente esta independencia, esta libertad de criterio, esta actitud tan poco sumisa a los poderosos la que le ha empujado a escribir todos sus libros, la que a veces le hace pasar por soberbio, la que en definitiva le granjea todos sus problemas con católicos y reformistas. Nada más ajeno a su temperamento que aceptar o rechazar una idea por compro-

miso, por estrategia, por conveniencia o por política. Esto es lo que le hace parecer radical, extravagante y a veces loco. Ahora va comprendiendo: la rebeldía con que combate en *La restitución del cristianismo* cualquier idea que choque con la razón, con la naturaleza o con la Biblia es la misma rebeldía que le empuja a escribir de escuelas médicas, de jarabes, de geografía, de astrología, de teología o de medicina. Todos los libros de Villanueva que él ha leído pisotean racionalmente con las botas de su erudita argumentación algún jardincito de ideas primorosamente cultivado por este o aquel poderoso. Da igual que se trate de una autoridad médica, política o teológica, da igual los intereses a los que sirva; si una idea no pasa la criba de su análisis, Villanueva siente el deber, o la necesidad, de denunciarlo. Para unos esto es una virtud moral. Para otros, un trastorno del carácter, un simple desarreglo temperamental.

El recibimiento de Matthieu Ory ni siquiera es frío. Es indiferente. Como si él jamás le hubiera encargado una misión; como si nunca le hubiese chantajeado con descubrir al mundo una de sus antiguas identidades, como si no hubiera estado pendiente de él, de sus pesquisas; como si lo hubiera olvidado. Lo recibe cenando.

–Tardabas tanto que pensé que te habías escapado –le confiesa sin asomo de pasión, como si tampoco hubiera diferencia entre esa posibilidad y el hecho de que él ahora esté allí, en su presencia, dándole explicaciones.

–Nos atacaron –dice lacónicamente. Pero no explica nada más. Ni cuándo, ni cómo, ni quiénes, ni por qué.

–Supongo que algo habrás averiguado, ¿no?

–Poca cosa.

–Pues tendrás que devolverme los papeles. El salvoconducto de comisario y tu nueva identidad.

Pfister no se hace de rogar. Muestra los papeles, que lleva en la mano, y los deposita teatralmente sobre una mesa.

–No sé qué hacer contigo, Joachim; me lo pones muy difícil –suspira Ory–. Pero, bueno, ya habrá tiempo de pensar en ti cuando termine todo esto. Ahora me preocupan otras cosas. El manuscrito ha sido impreso y probablemente distribuido ya por toda Europa. Sabemos que se terminó de imprimir a primeros de enero. Familiares de la Inquisición interceptaron una cuba de pliegos, que iba para la feria de Fráncfort. Han debido de tirarse ochocientos o mil ejemplares, lo que significa que debió de empezar a imprimirse antes de noviembre, antes de que yo te encargara la misión. Coge un ejemplar; está sobre aquella mesa.

Pfister lo alcanza, lo abre y lee la portada:

Totius Ecclesiae apostolicae est ad sua limina vocatio in integrum constituta cognitione Dei, fidei Christi, iustificationis nostrae, regenerationis baptismi, et caenae domini manducationis. Restituto denique nobis regno coelesti, Babylonis impiae captivitate soluta, et Antichristo cum suis penitus destructo. A continuación hay una línea en hebreo: «Y entonces se levantará Miguel». Es una cita, si no recuerda mal, de Daniel 12,1. Debajo hay otra línea en griego: «Y hubo guerra en el cielo». Apocalipsis, 12,7. Hay fecha de impresión, 1553; pero lógicamente ninguna referencia al taller. Con un vistazo a la tabla comprueba que el impreso no sólo contiene la materia del manuscrito, sino también un breve tratado sobre los sesenta signos para identificar al Anticristo, una treintena de cartas enviadas a Calvino y una apología contra Melanchton.

–¿Lo vas a leer ahora? –le pregunta Ory.

–Sí, pero no tardaré. Aún conservo ciertas facultades de mi etapa estudiantil.

Lee el tratado sobre el Anticristo en cinco minutos y la *Apología contra Melanchton* en poco más de tres, pero no encuentra nada nuevo: el primero mantiene la consabida idea de que el Papa es el Anticristo y de que hay que abatirlo para que el hijo de Dios pueda reinar en el mundo. La segunda es un resumen perfecto de *La restitución.* Las treinta cartas a Calvino en cambio son muy curiosas. Las lee en once minutos. En las ocho primeras Miguel de Villanueva le explica a Calvino en un tono llamativamente insultante que la Trinidad no son tres personas, sino tres manifestaciones de un único Dios, cuya sustancia forma parte de la naturaleza del hombre, como demuestra la existencia de Jesucristo. Las cinco siguientes tratan sobre la justificación de la fe, sobre si es necesario obrar bien o si basta con la fe para salvarse. Las diferencias entre judaísmo y cristianismo, entre Antiguo y Nuevo Testamento ocupan las seis siguientes. En las nueve restantes, Villanueva discute la constitución y el funcionamiento social de la comunidad cristiana, que ha de ser sobre todas las cosas el reino de la libertad y de la caridad.

El texto está firmado con las mismas iniciales –*MSV*– que cerraban el manuscrito. La M de Miguel, la V de Villanueva. Pero ¿la *S*? Es esa inicial huérfana la evidencia de que sus deducciones no acaban de cuadrar.

De pronto tiene una intuición. Extrae del bolsillo una lente y la coloca sobre la M. Sonríe. Ahora sí. Inscrito en una de las gracias decorativas, un angelito regordete aparece risueño ante sus ojos, como si se alegrara de reconocer a su creador. Tiene extendidos los dedos índice y corazón de la mano izquierda. Con la derecha en cambio se toca con procacidad unos huevos como melones.

–¿Te gustan los huevos, Joachim?

Sobresaltado, Pfister levanta los ojos. Duda si entender la pregunta en sentido literal o figurado. Se inclina por lo primero. Ory es incapaz de usar la ironía.

–Gracias, no tengo hambre.

–Tú te lo pierdes. Los huevos frescos del mismo día son de buen mantenimiento, sobre todo las yemas. Las yemas son buenas para el pecho, para la garganta y los pulmones y para los que tienen cámaras. Las claras en cambio se digieren mal; pero con aceite rosado bajan la fiebre y calman el dolor. Los mejores huevos son los de gallinas que tienen gallo. Cocidos, que es como yo los tomo, o escalfados, son mucho más sanos que fritos. Los huevos fritos toman calor del fuego, y eso es fatal para el estómago. Me lo ha dicho el médico de Palmier. ¿Lo conoces personalmente?

Ory lo mira divertido y moja un pedacito de pan tostado en el huevo pasado por agua. Pfister oye perfectamente el sonido terroso de la trituración con molares.

–Al poco de marcharte a París –explica Ory hurgándose con la lengua entre los dientes– me visitó uno de nuestros hombres en Lyon, Antonio Arneys, ¿lo conoces? Un tipo excelente. Me trae níscalos, muy buenos para la potencia del pene. Antonio se escribe con su primo, que vive en Ginebra. ¿Has estado alguna vez en Ginebra, Joachim? No he visto ciudad más aburrida. El caso es que el primo de Antonio está muy bien conectado con todos esos perros ginebrinos, y siempre que puede hace proselitismo en sus cartas. Sabemos que algunas de las que envía están dictadas por Calvino. Tenemos gente que sabe analizar discursos. Como comprenderás, a nosotros nos interesa mantener abierto ese canal de información. Fíjate si nos convendrá que el otro día Antonio recibió una carta en la que sin venir a cuento, como de pasada, su primo le afeaba que aquí se diera cobijo a un repugnante hereje llamado Miguel Servet. ¿Te suena ese nombre?

Claro que le suena. Coincidió con Servet en Estrasburgo, a principios de los treinta. Servet era uno de aquellos amigos anabaptistas tan aficionados a los debates y a las mancebías. Hace memoria, y lo recuerda tímido y callado, aunque muy vehemente en la defensa de sus posiciones ideológicas. Poco amigo de la diversión, si tenía que elegir entre un debate teológico y una visita licenciosa, elegía siempre lo primero.

–A qué límites de abyección habrá llegado este hombre que ni los perros de Ginebra quieren que los relacionemos con él. Con esa hipócrita inocencia de los ginebrinos el primo de Antonio nos mandaba el primer folio impreso de *La restitución del cristianismo* y nos daba todo lujo de detalles sobre el paradero de su autor. Miguel Servet de Villanueva –*MSV*– vive desde hace años en Vienne, trabajando bajo el nombre de Michel de Villeneufve como médico personal del arzobispo Pierre Palmier. Fantástico, ¿no te parece? Por lo visto, Palmier conoció a Servet en París, donde éste daba hace algunos años conferencias sobre astrología. Cuando Palmier se enteró de que Servet había perdido su trabajo de médico en un pueblecito muy cercano de aquí, Charlieu, le ofreció trabajar para él.

–¿Y qué interés tiene Calvino en denunciar a un enemigo de los católicos? Pensaba que para Calvino cualquier enemigo de los católicos es amigo suyo.

Ory levanta la cabeza.

–Supongo –dice limpiándose la comisura de los labios– que se trata de un ajuste de viejas cuentas. Tal vez las cartas que Servet ha incluido con mala intención en este libro, y que dejan a Calvino como un mentecato, tengan algo que ver con todo esto. Gracias al doctor Seville hemos podido saber que Jean Frellon, el impresor que me dio la pista sobre tu verdadera identidad, intentó que Servet y Calvino se conocieran allá por los años treinta, cuando los dos eran estudiantes en París. Los citó en su casa, pero Servet no apareció. Nadie sabe por qué. Frellon no volvió a ver a Servet hasta hace poco, aquí, precisamente en Lyon. Entonces fue Servet quien le pidió debatir con Calvino. De acuerdo, dijo Calvino; pero por carta. En esta ocasión era Calvino el que no tenía ningún interés en conocer a Servet. La cosa empezó bien, según Frellon. Servet escribió, y Calvino respondió, pero por lo visto la carta no debió de satisfacer las expectativas de Servet, que además de ser un hijo de puta y un asesino es muy vanidoso. Servet siguió enviando cartas, insultándolo, menospreciando su preparación y dándole lecciones hasta que Calvino perdió la paciencia y lo mandó a la mierda. Para vengarse de este desprecio, Servet ha incluido estas cartas en su libro, y Calvino le ha contestado denunciándolo mediante uno de sus ayudantes, porque él no quiere pasar por delator. Para mí todo esto no es más que una pelea de perros. Lo importante es que hemos localizado a varios criminales en uno: al autor de nuestro manuscrito, a un viejo prófugo de la justicia española y al médico personal de Pierre Palmier, cuya carrera lógicamente se verá seriamente afectada por este traspié. ¿Sabías que Palmier toleraba que Servet viviera con ese sodomita de Perrin? De las cosas que se entera uno cuando sabe interrogar. ¡Y pensar que este médico me miró el culo!

Ory ha terminado de cenar y está caminando por la estancia con las manos a la espalda. Al pasar junto a una mesa alcanza un cartapacio.

–Toma –dice tendiéndoselo con cierta displicencia–. Es un expediente documental de la Inquisición española. Como verás, el tal Servet es un viejo conocido del Santo Oficio. Los españoles llevan años intentando cazarlo. Pero este perro es una anguila.

Expediente

Guadalajara, España. Palacio de los duques del Infantado. 1523

Un grupo de empleados y sirvientes se reúne clandestinamente por la noche en los sótanos del palacio para leer la Biblia e interpretarla. Visten hábitos extravagantes y caminan descalzos. Están convencidos de que la salvación de sus almas no depende de lo que hagan, sino de la misericordia de Dios. En la iglesia permanecen inmóviles, envueltos en sus mantos; no se persignan, no toman agua bendita, no inclinan la cabeza al oír el nombre de Jesús, no besan el suelo al *incarnatus* ni se dan golpes de pecho cuando la hostia se eleva. No hacen nada. Son los alumbrados.

Toledo, España. Palacio arzobispal. Dos años después

Juan de Quintana, al frente de un selecto grupo de canonistas, investiga el brote. Se teme que no sea una simple disidencia escolástica, sino un problema de mayor calado. Pensar que la salvación no depende de las obras sino de la misericordia de Dios destruye el poder de la Iglesia católica. Además, en Alemania un fraile agustino muy relacionado también con la nobleza, Martín Lutero, acaba de convertir lo que parecía una simple disputa escolástica en un cisma religioso y político. Nadie quiere que eso suceda en España.

Tras las primeras pesquisas, varios alumbrados son detenidos e interrogados. Sus respuestas, más o menos forzadas por el tormento y más o menos manipuladas por los teólogos que las recogen, permiten a Quintana reconstruir esta nueva doctrina. Se trata obviamente de una herejía. Sus rasgos principales quedan recogidos en un edicto que será leído cada domingo durante doce meses en todas las iglesias de España para que cualquiera pueda identificar a los alumbrados y denunciarlos al Santo Oficio.

Aunque la elaboración de este edicto es responsabilidad de Quintana, su escritura en letra humanística sobre papel Génova tamaño folio la lleva a cabo un joven ayudante de catorce años, al que el viejo teólogo trata con severidad y cariño. Su nombre: Miguel Servet.

Miguel Servet nace en Villanueva de Sijena, provincia de Huesca, el 29 de septiembre de 1511. Su padre es notario, y su madre, la hija del caballero Pedro Conesa. Pero en realidad Miguel Servet vive muy poco tiempo en este pueblo porque su padre enseguida lo pone al servicio de un alto miembro de la jerarquía, Juan de Quintana. Gracias a eso Servet conoce de primera mano los más importantes problemas políticos e intelectuales de su época. Este muchacho, ávido de conocimiento y de inteligencia precoz, se empapa de doctrinas prohibidas, de las mismas ideas que aparecerán posteriormente en su obra.

Tras unos años al servicio de Quintana, su padre lo envía a Toulouse, donde todos los aragoneses de buena familia suelen mandar a sus hijos para que estudien Derecho. Quintana le regala una Biblia políglota y lo anima a marcharse de España, entonces tierra de envidia, soberbia, ignorancia y barbarie.

El obsequio le permite a Servet descubrir algo que cambiará su vida: la Biblia no contiene ni una sola referencia al misterio de la Santísima Trinidad ni al bautismo de los niños. Ni una. Si nos atenemos a las Sagradas Escrituras, esos dos conceptos, que han servido para condenar a tantos herejes, no existen. Empeñarse en decir lo contrario le parece un engaño, y la idea de denunciarlo se instala en su cabeza.

Toulouse, Francia. Universidad. 1529
–Para Servet, Toulouse supuso el descubrimiento del mundo en todos los aspectos. Si hasta ese momento el catolicismo había representado su única referencia, Toulouse le permitió contrastarla con otras realidades. La variedad de estudiantes, la riqueza de nacionalidades, de razas, de credos, el hechizo que las doctrinas prohibidas, sobre todo el anabaptismo, ejer-

cían sobre la juventud hacían de Toulouse un universo completo, un universo a escala.

Las disputas teológicas en Toulouse son el pan nuestro de cada día. No hay semana que no aparezca fijada en la puerta principal de la universidad alguna declaración de principios que enseguida suscita acaloradas discusiones y casi siempre un debate público.

–A Servet lo conocí en medio de una disputa sobre el bautismo. Bautizar a adultos, es decir, bautizar a personas por segunda vez no estaba permitido, pero tampoco se perseguía con la saña con que se persiguió más tarde. En aquella ocasión alguien había clavado en la puerta de la universidad una declaración afirmando que bautizar a los niños iba contra la voluntad de Dios. La disputa no tardó en celebrarse. En un lado estaban los anabaptistas. En el otro, católicos y evangélicos unidos por primera vez. La línea argumental del bando anabaptista era que adoctrinar a un recién nacido y hacerle preguntas que en ningún caso puede contestar era inútil y absurdo. Los defensores del bautismo consideraban por su parte que rebautizar a los adultos era una subversión de la Iglesia y de la monarquía. Yo estaba entre el público escuchando los argumentos de unos y de otros cuando de repente alguien gritó a mi lado:

–¡En la Biblia no hay ni una sola mención al bautismo de los niños!

Todo el mundo se quedó en silencio. El árbitro se volvió hacia él y le recordó que el público no podía dar opiniones.

–Esto no es una opinión –dijo el tipo que había gritado–; es un hecho objetivo.

Me hizo gracia la respuesta, y me fijé en él. Era un muchacho muy joven, alto, espigado, huesudo y mal rasurado.

–Veo que te gustan mucho los hechos objetivos –le dijo uno a su lado. Un estudiante peligroso, yo lo conocía; un defensor de la transubstanciación.

–Los hechos objetivos nos permiten avanzar hacia la verdad –le respondió aquel tipo.

–Pues a ver qué te parece este hecho objetivo –le dijo el otro arreándole en la cabeza con todas sus fuerzas–. ¡Toma hecho objetivo, cabrón!

Los que estábamos a su lado intentamos reducirlo, porque quería seguir golpeándolo. Enseguida acudieron sus amigos, y todos acabamos enzarzados unos contra otros, que era como solían terminar siempre los debates. Servet había caído al suelo semiinconsciente, y allí permanecía sin saber exactamente qué había sucedido. Me acerqué a él, lo tomé en brazos y salí del tumulto. Al despertar me preguntó:

–¿Cómo te llamas?

–Joris –le contesté yo–, David Joris; pero todo el mundo me llama Jan van Brugge.

Entonces me preguntó cuál era mi libro favorito.

–*Theologia naturalis*, de Ramón de Sabonde –respondí.

–El mío –dijo él como si aquello fuera una declaración de principios–, *Loci communes* de Melanchton.

Y debe de serlo, porque Joris y Servet se hacen amigos inmediatamente. A ellos pronto se les une Postel, que entonces es criado del profesor Gelida. Las reuniones, los debates y las discusiones teológicas entre ellos son frecuentes.

–De nosotros tres, el más moderado era Servet. Él estaba convencido de que el mundo podía cambiarse con la predicación. Yo le decía que si de verdad quería restituir el cristianismo, que si de verdad quería recuperar la pureza apostólica de los primeros cristianos, tenía que empezar por destruir a esa gran prostituta que era, y es, la Iglesia de Roma. Para mí destruir era pasar a cuchillo. Pero Postel era aún más radical que yo. Él además de aniquilar al clero quería abolir la propiedad privada. Para él eso era indispensable si se quería alcanzar la pureza apostólica. Él no lo decía por decirlo; todo el mundo conocía la tendencia de Postel a compartirlo todo, salvo aquello que tuviera saliva. Te cedía su camastro, te daba su dinero, te daba su comida si tenías hambre; pero no le gustaba compartir el mismo vaso, ni beber de la misma jarra, ni por supuesto comer con el cucharón de otra persona. En todo lo demás no concebía la propiedad privada. Y en cuanto a nuestras actividades, hacíamos lo que entonces hacía cualquier congregación o conventículo: discutir, debatir y provocar. Sólo en Toulouse había docenas de conventículos, cada uno con su credo específico.

Durante todo este tiempo la idea de denunciar las mentiras de la Iglesia católica, sobre todo las ideas sobre la Trinidad, ha madurado en la mente de Servet.

Sus observaciones, sus conversaciones y experiencias cristalizan finalmente en un breve pero intenso tratado: *De Trinitatis erroribus*. Los impresores a quienes presenta su manuscrito se niegan a publicarlo.

—Confieso que la primera vez que leí *Errores de la Trinidad* pensé que aquel muchacho no era su autor. El libro era un prodigio de erudición, pero el joven que estaba frente a mí no llegaba a los veinte años. De modo que pensé: si el verdadero autor no quiere dar la cara, tampoco puede pedirme a mí que publique su obra.

—Yo pensé lo mismo.

—Y yo.

—Y yo.

Ajeno a la evolución de su discípulo, Quintana, que acaba de ser nombrado confesor de Carlos V, le escribe una carta para invitarlo a la coronación del emperador en Bolonia. El viejo Quintana no se olvida de Servet en su ascenso social, pero el joven Miguel empieza a tener dudas sobre su vocación. Sin embargo, todavía es demasiado pronto para que el discípulo se rebele contra el maestro. El 21 de febrero de 1530 Servet sale de Toulouse a regañadientes para unirse a Quintana.

Bolonia, Italia. Julio de 1530

El encuentro entre maestro y discípulo no puede ser más frío. El entusiasmo de Quintana contrasta con el mutismo del joven. A Servet le molestan las atenciones del viejo, y su evidente favoritismo le resulta insoportable. Y por si esto fuera poco, la desmesurada ceremonia que acompaña la coronación del emperador lo escandaliza. No entiende cómo Quintana, declarándose seguidor de Cristo, puede prestarse a un acto tan indecente. El Papa ha llegado a la iglesia donde se celebra la ceremonia en una silla gestatoria de oro macizo. En su tiara luce un inmenso carbunco. Lo acompañan 20 cardenales y 53 obispos ataviados con sus mejores galas. Carlos aparece poco después acompañado de tres nobles, cada uno de los cuales porta uno de los tres símbolos del poder imperial esculpido en oro: el cetro, la espada y la corona. El Papa se acerca al emperador, pone en su mano una espada y dice:

–Toma esta espada santa, con la que destruirás a los enemigos del pueblo del Dios de Israel.

Carlos, el mismo Carlos que ha saqueado Roma hace unos años, besa los pies del Papa mientras este coloca sobre su cabeza la corona imperial. En ese momento los cerca de ocho mil soldados que se encuentran en la plaza disparan sus arcabuces. La ensordecedora salva apaga momentáneamente el repicar de las campanas, que no han dejado de sonar durante toda la ceremonia.

Servet, que ha vomitado en una esquina del palacio papal, no acude a la recepción posterior ni a la audiencia que le concede el Santo Padre. Quintana lo busca enloquecido por todas partes, pero no lo encuentra. De hecho, no volverá a verlo jamás. Servet ha tomado la decisión de marcharse y de romper definitivamente con él y con la Iglesia católica.

Basilea, Suiza. Septiembre de 1530
–Cuando lo conocimos venía asqueado de Bolonia. Acababa de asistir a la coronación del emperador y quería alejarse de todo aquello. Buscaba a Erasmo. Pensaba que Erasmo lo escucharía, lo comprendería. Había leído todos sus libros, y lo admiraba, lo veneraba. Pensaba que entre ellos había una especie de simbiosis espiritual, que Erasmo sabría apreciar sus ideas sobre la Trinidad en cuanto las escuchara. Pero Erasmo ya no vivía con nosotros, hacía un año que se había marchado. Cuando se lo dijimos estuvo a punto de echarse a llorar allí mismo, en la puerta. Había venido andando desde Bolonia solo para verlo. Ecolampadio le ofreció alojamiento. Al principio acogíamos a todo el que nos lo pedía. Bastaba con que uno fuera perseguido por los papistas para que le abriéramos las puertas de nuestra casa. Pero luego empezaron a infiltrarse agentes católicos simulando ser disidentes para detener a los nuestros. Entonces fue cuando empezamos a realizar entrevistas. Charlábamos con los recién llegados y tratábamos de averiguar si eran impostores. En el caso de Servet, Ecolampadio no tuvo ninguna duda. Podía ser cualquier cosa, salvo un agente católico.

Durante varios meses Servet vive en casa de Johannes Hausschein, o Husschein, o Heugsgen, más conocido como Ecolampadio. Encuentra trabajo en un taller de imprenta, donde se dedica a la corrección de originales, tarea que en su caso no se limita a la localización de erratas, sino que se extiende a la corrección y ampliación de los contenidos. Lo normal es que Servet cene en la cocina, con los criados, pero una noche Ecolampadio quiere hablar con el nuevo visitante y le propone que comparta su mesa. La larga conversación que mantienen produce en Ecolampadio impresiones contrapuestas. Por una parte el viejo teólogo reformista sabe apreciar la preparación bíblica de este joven aragonés y su dominio del latín, del griego y del hebreo. Pero por otro lado le disgusta el tufillo anabaptista que desprenden sus ideas. Pese a todo, vuelve a cenar con él en varias ocasiones.

–Servet era un discutidor profesional. Correoso, tenaz y un poco altivo, la verdad. Cuando Ecolampadio se dio cuenta de sus veleidades anabaptistas, le advirtió que en Basilea se castigaba a quienes bautizaban a adultos, a quienes defendían esa práctica y a quienes los cobijaban. Servet inmediatamente le preguntó si él, si nosotros estábamos de acuerdo con esa monstruosidad, si a nosotros nos parecía bien que se torturara y se despojara de sus pertenencias a quienes creían que los niños no estaban preparados para recibir algo tan importante como el bautismo.

–Yo nunca he defendido la ejecución del disidente –le dijo Ecolampadio–, pero sí creo que es legítimo defenderse de quienes se aprovechan de la libertad reformista para destruir la propia Reforma y el cristianismo. En cuanto a lo de bautizar o no a los niños, Ecolampadio le recordó que san Agustín había dicho que la fe de los padres, o de su Iglesia, era suficiente para bautizar a un niño. Y no sólo san Agustín. También lo dijeron Orígenes y san Cipriano. El bautismo no era para Ecolampadio algo que debiese ser reformado. Él estaba dispuesto a que el bautismo se pospusiera hasta los tres años. Pasar de ahí, negarse a que los niños fueran bautizados, le parecía que era poner demasiado énfasis en los detalles y olvidar lo fundamental. Para él era mucho más importante reformar la celebración de la eucaristía y defenderse del anarquismo anabaptista. El anarquismo destruye las iglesias. Y además, no se puede rechazar todo. No se puede rechazar el bautismo de los niños, el sacerdocio profesionalizado, la guerra y hasta el derecho de la Iglesia a influir en los asuntos de gobierno. Ante los argumentos de Ecolampadio, Servet se sentía como un mosquito al que un gigante aplasta sin esfuerzo con el pulgar de su dialéctica. Pero al mismo tiempo tenía que halagarle que un sabio conocido en toda Europa, amigo íntimo de Erasmo, invitara a cenar a un jovenzuelo de veinte años, que se dignara escuchar sus puntos de vista o que incluso le presentara a Bucero. Porque Ecolampadio le presentó a Bucero. Y también fue el primero que le habló de Calvino. Pero Servet no era tonto, y cuanto más conversaban, más evidente se le hacía que estaban a gran distancia. Rompieron, pero no rompie-

229

ron a causa de una discusión final. Lo que hubo más bien fue una gota que colmó un vaso que se había ido llenando desde su primera conversación. Servet dijo un día que rezar era inútil. Y Ecolampadio le recordó que Jesús había rezado audiblemente en Getsemaní.

–No tenemos ninguna evidencia de eso.

–El testimonio de los apóstoles –dijo Ecolampadio–. ¿Te parece poco?

–¿Acaso los apóstoles oyeron rezar a Jesús?

–Está en la Biblia. Tú, que te ciñes a la Biblia cuando te conviene, ¿por qué no te ciñes a la Biblia también en esto?

–Lo que dice la Biblia es que los apóstoles estaban dormidos mientras Jesús rezaba.

–¿Y qué más quieres?

–Si estaban dormidos, no pudieron oírle rezar.

–Para Dios no hay nada imposible.

–El Nuevo Testamento no lo escribe Dios.

–No lo escribe, pero lo protagoniza.

–Dios no lo protagoniza. Lo protagoniza Jesucristo. Y Jesucristo no es Dios.

–Ah, ¿no?

–No. Jesucristo es *hijo* de Dios.

–*Hijo eterno* de Dios.

–No. No es eterno. Jesús es como tú y como yo. Nació y murió. Jesús es, como mucho, *eterno hijo* de Dios, que no es lo mismo.

–Servet: el hijo de Dios no es inferior a Dios.

–Nadie ha dicho que lo sea. Ser hombre no es ser inferior a Dios.

—Ah, ¿no?

—No. Los hombres somos en cierto modo dioses.

—No vuelvas a decir eso delante de mí.

—Los hombres somos en cierto modo dioses. Los hombres somos en cierto modo dioses. ¿Me vas a quemar, como hacen los católicos?

—No te voy a quemar, pero te voy a echar de mi casa. Aquí está permitido todo, salvo quebrar la ley. Y tú no sólo eres anabaptista, tú eres arriano. Y un cabrón.

—Si hubieras leído a Tertuliano, comprenderías que no tengo nada de hereje. El hereje eres tú, Johannes Ecolampadio. Eres un hereje y una puta ramera parida por el vientre purulento de la podrida perra de tu madre.

—¿Qué has dicho? ¡Repítelo! ¿Cómo te atreves a insinuar que no he leído a Tertuliano?

—Si lo hubieras leído con provecho, te darías cuenta de que la Trinidad es un invento del Papa. Igual que el bautismo.

Ecolampadio, que ha negociado con los católicos un compromiso para eliminar de las discusiones el dogma de la Trinidad y la importancia del bautismo, no puede permitir que alguien como Servet ponga en peligro la paz que él ha conseguido, sosteniendo en nombre de la Reforma que la Trinidad y el bautismo son inventos del Papa.

Advertido por un criado de que Ecolampadio va a denunciarlo, Servet huye de Basilea.

231

Estrasburgo, Francia. 1531
Estrasburgo tiene fama de ser una ciudad abierta y tolerante con los disidentes de un signo y otro. A ella acuden teólogos discrepantes de la doctrina católica, pero también iluminados de diferente pelaje. Algunas veces es difícil distinguir a unos de otros. Allí se encuentran Johan Campanus, uno de los teólogos antinicenos que surgen en la Reforma y defensor de una extraña idea binaria de la Trinidad; Bernd Rothmann, que será líder de la revolución anabaptista armada y polígama de Münster; Sebastian Franck, que quiere invertir los valores de la Iglesia y dar a los herejes puestos de responsabilidad; Gaspar Schwenckfeld, que niega la presencia de Cristo en la eucaristía, o Melchior Hoffmann, convencido de que ciento cuarenta y cuatro mil apóstoles anabaptistas se concentrarán en Estrasburgo mostrando señales inequívocas de que sólo ellos constituyen la verdadera Iglesia de Cristo. Cuando Servet se refugia en Estrasburgo falta muy poco tiempo para que el Ayuntamiento de la ciudad abandone la moderación que lo ha caracterizado desde la Edad Media y se una a la intransigencia radical y dogmática que está invadiendo Europa con la excusa de combatir el anabaptismo. Servet trabaja como corrector de imprenta en el taller de Johannes Setzer.

–No tuve que hablar mucho con él para darme cuenta de que aquel muchacho era mucho más que un corrector. Sin embargo, yo ya tenía cubierto ese puesto y no podía ofrecerle nada digno. Conversamos, y lo que empezó siendo un diálogo profesional terminó, como solía suceder casi siempre, en una discusión teológica. Fue en ese momento de la conversación cuando mencionó que acababa de terminar un libro titulado *Todos los errores sobre la Trinidad,* que los católicos no querían publicar. Lo leí aquella misma noche y comprendí que aquello debía conocerse. Imprimirlo era una obligación moral.

–¿Setzer? Setzer era un inmoral. A Setzer le traía sin cuidado Servet, la Iglesia católica y la Reforma, tanto la moderada como la radical. Si accedió a publicar *Errores y Trinidad,* de Miguel Ángel Servet, no fue porque sintiera, como ha declarado alguna vez, el imperativo histórico de hacerlo, sino porque sabía que la obra iba a irritar a Ecolampadio y Zwinglio, con quienes mantenía diferencias ideológicas y personales. Y la prueba de que es cierto lo que digo la tenemos en la propia impresión del libro: en la portada aparece bien claro el nombre de Servet, pero no hay ni rastro del lugar donde se ha impreso y mucho menos del impresor. Setzer no quería complicaciones.

El libro se distribuye por toda la Europa evangélica.

–Servet hizo una lista con todas aquellas personas a quienes había que enviarles un ejemplar. El primero era sorprendentemente el arzobispo de Zaragoza. El segundo, Erasmo. Servet, como muchos de su generación, había empezado a interesarse por la teología tras leer el *Enquiridion;* así que es natural que se acordara de él a la hora de difundir sus ideas. Y estaba convencido de que el libro iba a gustarle. Pero convencido, convencido. No imaginaba otra posibilidad. La idea que Servet tenía de su propia obra era que se trataba de un trabajo filológico más que teológico; una investigación filológica que restituía la verdad a partir de las fuentes primarias.

Pero a Erasmo el libro le disgusta.

–Aquel libro era demencial. Tenía un cierto mérito, no lo niego, pero en el fondo era un completo disparate. Y su propósito no era otro que el de provocar. A mis enemigos les hubiera gustado que yo formulara un juicio favorable sobre él, pero no quise darles esa alegría. Me había pasado media vida defendiéndome de las falsas acusaciones de arrianismo, y no iba ahora a elogiar la obra de un verdadero arriano como Servet.

Entre los reformistas Servet es considerado un fanático obsesionado con fundar una Iglesia propia, y su obra es inmediatamente prohibida. Ni siquiera Melanchton, uno de los protestantes más mesurados y con más sentido común, aprueba el texto.

–Servet era agudo, pero no muy sólido en sus planteamientos. Y a veces alucinaba. Empleo este verbo, *alucinar*, por no usar el verbo *tergiversar*. Porque si se me apura mucho yo diría que Servet tergiversaba las autoridades. Manipuló a Tertuliano y no entendió en absoluto a Ireneo. Servet era un fanático y no demasiado original. Sus ideas son una versión moderna de las de Pablo de Samosata. Quizás algo más confusas.

La decepción de Servet ante el recibimiento que dan a su libro quienes se supone que están comprometidos con la reforma del cristianismo es tan grande que durante días se encierra en su habitación. Apenas come. No trabaja. Está a punto de abandonarlo todo, de renunciar a la reforma de la Iglesia y de dar por terminadas sus investigaciones teológicas. Considera seriamente la posibilidad de marcharse a las recién descubiertas Indias.

–Cuando se publicó *Los errores de la Trinidad* Servet estaba convencido de que aquel momento marcaría un antes y un después en la historia de la Iglesia católica. Es fácil confundir esta actitud con la soberbia o con la vanidad; pero en su caso no era ni una cosa ni otra. Es difícil comprender a hombres como Servet, dispuestos a arriesgar su vida por defender ciertas ideas. No buscaban fama ni reconocimiento. Muchos de ellos ni siquiera soñaban con tener adeptos. Les bastaba saber que hacían lo correcto. El hombre vanidoso o el hombre soberbio tratará siempre de figurar en primer plano, pero no arriesgará su vida por una idea. Si Servet pensó que el mundo iba a cambiar tras la publicación de su obra no fue porque padeciese un extravagante delirio de grandeza, sino porque estaba convencido de que la Iglesia de Cristo se había alzado sobre un error terminológico. Su libro lo corregía y proponía además una solución. Lo que no concebía es que una vez desvelado el error de manera racional, sin apasionamiento ideológico, las cosas siguieran igual. Y habría pensado lo mismo si el libro lo hubiera escrito otra persona. Por eso nunca entendió el rechazo y el escándalo que produjo.

Basilea, Suiza. 1532

Enajenado, incapaz de asimilar lo que está sucediendo, Servet toma la incomprensible decisión de regresar a Basilea, donde Ecolampadio ha abjurado públicamente de él y ha prohibido su libro. Allí redacta un texto aún más breve que el primero, *Dialogorum de Trinitate libri duo*, de tono conciliador, donde se muestra dispuesto a suavizar sus ataques a la idea de la Trinidad. Pero Ecolampadio nunca leerá ese libro, porque cuando se publica a principios de 1532 el viejo teólogo ya ha muerto.

Y si la primera obra provoca entre los reformistas el escándalo que acabamos de describir, a los católicos les produce espanto y conmoción, sobre todo a quienes han conocido a Servet.

–Estábamos en Ratisbona. Acababa de celebrarse uno de los interminables debates teológicos y nos habíamos retirado a descansar. De repente entró uno de los alemanes, Cochlaeus. Estaba exultante. Al principio pensé que iba a proponernos algún tipo de acuerdo, una declaración dogmática conjunta. Pero no. Llevaba en la mano un libro que terminaba de comprar. Es un regalo, le dijo a Quintana, toma. Y se reía. Se reía mucho. Era el libro de Miguel. Cochlaeus no cabía de gozo, no hacía más que reír. Disfrutaba con el hecho de que España también tuviera un hereje. Y aún le producía más placer que el hereje proviniera del séquito de Quintana, que hubiera sido su paje, su favorito.

–A los españoles, sobre todo a los de Castilla, les costaba admitir que ellos también podían ser contaminados por la herejía. Se consideraban de otra casta. Y se tomaban lo de la herejía como un asunto de reputación nacional. La religión para ellos siempre ha sido un lazo más fuerte que la sangre; y el honor de España, algo mucho más importante que el parentesco. Nunca he visto fanatismo semejante al español.

Quintana ordena a sus hombres que barran Ratisbona, que no dejen de visitar ni una sola casa donde se vendan libros, que compren todos los ejemplares de aquel disparate y que los quemen.

Pese a sus esfuerzos por destruir *De Trinitatis erroribus*, la noticia de su publicación –y algunos ejemplares– corren como la pólvora entre los católicos y protestantes reunidos allí. Quintana, el flamante confesor del emperador que hasta ese momento ha sido tratado con respeto por unos y otros, empieza a ser motivo de burla. Sus enemigos en el bando católico no dejan pasar la oportunidad para atacarlo. Todos saben que después de eso es árbol caído. Y lo hacen leña.

–Quintana nunca asimiló del todo la reacción de Servet. Su dilecto discípulo, como lo llamaba, le había parecido siempre una persona completamente normal. En él no apreció jamás desviación alguna. Y sin embargo aquel libro era la obra de un enfermo, de alguien que disfrutaba sembrando el terror. Los enemigos de Quintana, los católicos más conservadores, aquellos que se oponían a cualquier intento de diálogo con el mundo protestante, aprovecharon la circunstancia para demostrar que la tolerancia pregonada por Quintana conducía siempre hacia la herejía, hacia el asesinato de almas. Servet era la prueba de que el diálogo no servía para nada y de que la tolerancia sólo engendraba bestialidad y barbarie.

Girolamo Aleandro, nuncio del Papa en tierras protestantes, informa oficialmente a la Inquisición española de la publicación por Miguel Servet de un libro titulado *De Trinitatis erroribus*. No hace falta. Servet ya ha enviado un ejemplar al arzobispo de Zaragoza. Por su parte, los funcionarios públicos encargados de leer las publicaciones teológicas europeas también lo han descubierto. Éste y el breve diálogo que ha compuesto después son inmediatamente denunciados ante el Consejo de la Suprema, el máximo órgano del Santo Oficio.

Medina del Campo, Valladolid, España. 24 de mayo de 1534
La Inquisición ordena una discreta operación. Está en juego el honor de España, dice el escrito. El

encargado de llevarla a cabo es el capellán del arzobispo de Santiago, Juan Servet, hermano de Miguel.
Se le ha encomendado partir hacia Basilea, localizar
al hereje, traerlo a España con falsas promesas o, en
caso de resistencia, degollarlo sin contemplaciones.
Juan Servet parte en secreto al día siguiente.

Reconstrucción

Nadie diría que en aquella cámara impoluta y ordenada, en la que hasta las manchas y la deformación de los instrumentos por el uso tienen una cierta pulcritud, se graba acero, se golpea estaño y se funden metales. No se trata de un orden morboso ni de una limpieza enfermiza, sino más bien de un método de trabajo. Cada tarea tiene su herramienta, y cada herramienta, su lugar: aquí unos moldes, ahí unas bandejas, allá las tenazas y acá los martillos. Hay en el ambiente un olor ácido que resulta peculiar, pero que no llega a ser desagradable.

Pfister está sentado frente a un enorme atril, en la parte más luminosa del taller vacío. Está dando los últimos retoques a un diseño que ha satisfecho a los Trechsel. Se trata de una romana, redonda pero un poco más perpendicular, con un asta muy contrastada, recta, sin desigualdad en el espesor y con los terminales muy finos. Pfister la contempla desde diferentes distancias y grados de inclinación, y decide que sí, que le gusta, que de todos los intentos realizados este es el que más se parece a la letra que una vez imaginó y en la que lleva ocupado varias semanas. Así trabaja

Pfister. El contorno de una letra se le aparece de improviso, fugazmente, en los momentos más inoportunos; justo a la hora de hacer cámara, mientras habla de amor con la hermana panadera o cuando está a punto de quedarse dormido por efecto del beleño. Luego se pasa días y días dibujando, buscando en su memoria, en alguna circunvolución de su cerebro, el contorno que vislumbró. Dibuja, borra, corrige y combina trazos, grosores y texturas hasta que da con él o con la forma que más se parece a aquella primera visión.

Ahora Pfister se ha puesto en pie y está preparándose para salir. Roland se encuentra fuera, al otro lado de la calle, apostado frente a la casa, tallando minuciosamente un tarugo de madera. Cuando Pfister aparece bajo el umbral a lomos de su caballo, Roland levanta la cabeza, guarda la talla bajo su capa e hinca las espuelas; una sucesión de gestos y acciones que a ambos les resulta ya rutinaria. Roland lo sigue al trote hasta la fragua de Belafoix. El herrero tiene preparada una punzonería completa, un juego de doscientas piezas de finísimo acero, pequeños prismas de sección cuadrada y cuatro dedos de longitud, terminados en una punta chata, sobre la que Pfister irá grabando, una a una, todas las letras de su nuevo diseño. Pero antes de ponerse a ello, ya de vuelta en su taller, Pfister la examina detenidamente y va puliendo con paciencia las seis caras de cada punzón; y en especial aquella en la que grabará la letra correspondiente, una tarea que deja para la siguiente jornada, porque cuando termina de pulir toda la punzonería es cerca de la media noche.

Antes de subir al piso de arriba, Pfister abre como todas las noches la puerta del taller y se asoma a la calle. Allí sigue Roland, a lomos de su caballo, embozado en una capa. No se mueve. Quizás esté dormido. Pfister se queda un instante en el umbral, dejándose ver, por si Roland necesitase algo o hubiese cambiado de opinión y aceptara ahora refugiarse en su casa. Hace frío, un frío húmedo que cala los huesos. La primavera este año se está retrasando. Espera hasta que Roland levanta la mano como diciendo todo está bien, buenas noches, y entonces Pfister cierra la puerta y sube los escalones arrastrando los pies como un anciano. El ama, que ya se ha acostado, sale de su cámara al oírlo subir, pero Pfister le manda acostarse de nuevo. Esta noche tampoco tiene hambre. Lleva así varios días, sin apetito y con dificultades para conciliar el sueño si no inhala antes el humo de semillas de beleño. Mientras lo aspira, va sintiendo que el mundo se degrada y pierde densidad hasta que finalmente desaparece.

Al día siguiente comienza a grabar. Lo hace manualmente, sin contrapunzones, vaciando primero el interior de la letra y contorneando después el exterior. Se trata de una tarea delicada y minuciosa, que le obliga a concentrar en ella los cinco sentidos, una labor que anula completamente su pensamiento. Cada grabado requiere horas de trabajo. Después de tallar una letra en el punzón, hay que limar con mimo el sobrante para rebajar las virutas y las barbas de metal que se han ido adhiriendo durante el limado. Limar y pulir, limar y pulir, así una y otra vez, con perseverancia y delicadeza, como si en vez de afinar un punzón estuviera corrigiendo las imperfecciones de su biografía. Normalmente en esta tarea lo ayudan sus oficiales, pero esta vez ha preferido quedarse solo y les ha dado licencia hasta nueva orden. Si la cosa va bien y no se rompe ninguno, al final del día habrá grabado como mucho diez punzones. Entre minúsculas, versalitas, versales, redondas y cursivas, pasarán varias semanas antes de que pueda terminar la punzonería completa.

Durante todo este tiempo se repite la misma secuencia: Pfister apagando de madrugada la lámpara del taller y asomándose a la calle, Roland haciendo un gesto con la mano en señal de buenas noches, el ama levantándose al oírlo subir y acostándose de nuevo después de que Pfister renuncie una noche más a cenar. Luego el beleño y el mundo deshaciéndose.

Cuando termina de grabar todos los caracteres acordados, Pfister lleva los punzones a la fragua, donde Belafoix los templa hasta que adquieren la dureza necesaria para hundirse en unos pequeños bloques de cobre de apenas un dedo de espesor. El eficiente Belafoix ya se los tiene preparados cuando Pfister aparece de nuevo por la herrería. Es a la mañana siguiente cuando empieza a abrir matrices. Coloca el punzón perfectamente vertical, como si fuera a clavarlo en el bloque de cobre, y de un golpe seco hunde la punta.

El hueco de la letra queda grabado en la pieza. Repetir esta operación con todos los caracteres de la punzonería le lleva dos jornadas de trabajo, porque al hundirse el punzón la matriz se abulta ligeramente por los laterales y es necesario pulirla delicadamente en la piedra esmeril.

A continuación hay que justificar cada matriz, encajarla en un molde de madera, intentando que quede centrada y que no pierda verticalidad. Es importantísimo que las matrices de un mismo juego tengan idéntica justificación. Si no, a la hora de combinar los tipos que nacerán de estas matrices, en el momento de combinarlos para que formen palabras, unos quedarán más altos, otros quedarán más bajos, unos más juntos y otros más separados. En este oficio la justificación es sin lugar a dudas el trabajo más delicado, la tarea en la que debe ponerse más empeño. De la justificación depende que la impresión sea regular y uniforme, y que la mancha del ojo sea agradable a la vista. Una mala justificación puede echar a perder el trabajo de un buen grabador. Y al contrario: con un diseño mediocre y un grabado imperfecto se pueden conseguir manchas deslumbrantes si el encargado de justificar las matrices sabe jugar con la altura, con el espaciado entre las letras, con la alineación y la verticalidad. En esto, como en todo, lo importante es engañar a los sentidos.

Cuando Pfister considera que la primera matriz está justificada, la fija en el interior del molde. En la chimenea cuece mientras tanto una aleación de plomo, estaño, cobre y antimonio, en la que también se funden viejos tipos inservibles de los Trechsel. Deteriorados por el uso, los impresores se los han entregado para que los funda con la aleación que se solidificará en los nuevos tipos. Con la mano izquierda enfundada en un guante Pfister sostiene el molde con la matriz. Con la mano derecha sumerge un cucharón en la aleación fundida y la vierte en el molde, para que aquella llene completamente el hueco grabado en la matriz. Inmediatamente después abre el molde y con unas pinzas extrae un pequeño prisma de metal. Lo acerca a la luz y lo examina como si fuera un recién nacido. En uno de sus lados se levanta en relieve el ojo de la letra, la reproducción metálica de aquel diseño a lápiz, la parte que recibirá la tinta y que manchará las fibras del papel. Parece mentira que aquellas piezas tan pequeñas, sus huellas combinadas adecuadamente, hayan podido modificar su propia vida, tantas vidas ajenas y hasta el rumbo de la cristiandad.

A veces, mientras va depositando aquellas piececitas sobre la mesa, le da por pensar que la vida, al menos la suya, es una sucesión de tipos que se han ido deteriorando con el uso hasta quedar inservibles y que se han ido fundiendo junto a otros metales y alumbrando una materia nueva. Él es un tipo que pronto quedará inútil y que entonces será fundido y vertido en una nueva matriz. Volverá a nacer solidificado en otro, tan reluciente y duro como el que ahora observa sujeto con las pinzas, que pronto quedará obsoleto y será fundido otra vez en un proceso que no tiene fin.

Hasta comienzos del verano Pfister no puede presentarle a los Trechsel una fundición completa del nuevo estilo. Tras hacer una prueba de impresión, los Trechsel alaban sinceramente el resultado final y se muestran deslumbrados por la elegancia de sus trazos y satisfechos con la dureza de la aleación. Los oye ponderar sus tipos con aquellas voces melifluas y fluctuantes, los ve gesticular con aquellas manitas infantiles, siempre blanditas y sudorosas, y comprende que los detesta, que siempre los ha detestado, que aborrece su hipocresía y su falta de escrúpulos teñidas de piedad cristiana y civismo. Sí, los Trechsel le ayudaron a instalarse en Lyon y por eso mismo los odia, y se odia a sí mismo por haber aceptado el favor de aquella pareja de hermanos repugnantes. Se apodera de él una incontenible necesidad de hacerles daño.

–El otro día, en el mercado de libros usados, descubrí un volumen bellísimo –dice–. Y resulta que estaba impreso aquí, por vosotros.

Envanecidos por el comentario, los Trechsel quieren saber de qué obra se trata.

–Era una *Geografía* de Ptolomeo. Preciosa. Impresa en folio, a doble columna, con los encabezamientos en forma de banderas ondeantes y dibujos en los extremos.

A los Trechsel les regocija el elogio de Pfister. Sí, recuerdan perfectamente esa *Geografía*.

–Echamos el resto en ella –reconoce Gaspar–. Incluimos por lo menos cuarenta y ocho mapas a doble página. No creo haber hecho otro libro con grabados tan bellos.

–Y es una obra muy completa además –añade Melchior–. Se cotejaron ediciones antiguas, se enmendaron datos, se añadieron notas y se puso el nombre de las regiones, de las montañas, de los ríos y de las ciudades en francés, en italiano, en alemán y en español.

–Y añadimos también breves descripciones de los accidentes físicos de cada país, de las costumbres y el carácter de sus habitantes. Todo ello en un estilo ameno y comprensible, nada erudito.

Le hiere la mezquindad de los Trechsel, incapaces de reconocer el excelente trabajo de Servet y dispuestos a atribuirse como propio el mérito del corrector.

–Pero eso no lo hicisteis vosotros –señala–; lo hizo Michel de Villeneufve.

Los Trechsel se quedan perplejos, pero enseguida reaccionan.

–¡Michel de Villeneufve! ¡Qué hombre tan excelente!

–Necesitábamos un corrector –reconoce Gaspar con naturalidad–. Habíamos tenido varios, pero ninguno nos satisfacía. Un buen corrector tiene que conocer perfectamente las lenguas clásicas.

–Sí; enseguida nos dimos cuenta de que este Villeneufve tenía una vasta cultura.

–Era un hombre joven, tenía veinticuatro años, pero era cultísimo.

–Excepcional.

–Dominaba las lenguas clásicas, dominaba las matemáticas. En fin, era exactamente el tipo de hombre que estábamos buscando para aquella *Geografía*.

–Nos hizo dos ediciones, una en el 35 y otra en el 41.

–Quedaron tan bonitas que lo volvimos a llamar para que se ocupara de una Biblia.

–Pero con la Biblia sucedió algo raro, no sé si te acuerdas. Habíamos firmado una Biblia en seis tomos, pero al final lo que nos entregó fue una nueva versión de la Biblia de Pagnino. Es cierto que no se limitó a copiar literalmente la versión de Pagnino, que es lo que hubiera hecho otro en su lugar, sino que añadió escolios, notas y observaciones. Pero es que no era eso lo que habíamos firmado. Tuvimos alguna diferencia. Nosotros nos habíamos portado con él muy bien; le habíamos presentado a Champier, un médico amigo nuestro, muy erudito y muy influyente, para que le echara una mano, y aquel incumplimiento de contrato nos molestó.

–¿Acaso lo conoces? –le pregunta Gaspar–. ¿Sabes algo de él?

–Está en la cárcel –dice Pfister tratando de saborear a partir de aquí todos los matices del acontecer–. Y no se llama Michel de Villeneufve. Se llama Miguel Servet.

Por supuesto a esas alturas los Trechsel ya han oído hablar de Servet, el hereje descubierto en Vienne, el médico personal del arzobispo Palmier.

–Me pregunto si a vuestro amigo Ory –dice Pfister– le interesaría saber la relación intelectual que una pareja de católicos ejemplares como vosotros tuvo con un hereje tan brutal como Servet.

–De relación intelectual nada, Joachim –salta indignado Melchior, que no entiende por qué Pfister se está comportando así.

Es una ingenuidad por su parte, lo sabe, esperar que la Inquisición vaya a interrogar a los Trechsel. Él ni siquiera tiene la intención de proporcionarle a Ory esta información. Pero los Trechsel no lo saben, y él disfruta con la posibilidad de que vivan inquietos unos cuantos días. Allí los deja, pasmados, incapaces de entender este cambio de actitud en un hombre tan servicial.

Pfister dedica el resto del verano y parte del otoño a terminar los trabajos pendientes. Ha tomado la decisión de no aceptar más encargos y de seguir trabajando solo. Todo parece indicar que cierra el negocio. Sus antiguos operarios así lo entienden y empiezan a buscar empleo en otros talleres.

Una lluviosa noche de octubre, después de diseñar una delicada *g* y antes de apagar la luz del taller para subir al piso de arriba, Pfister sale en pleno diluvio. La calle está inundada; lleva una semana cayendo agua sin parar. Cubierto con una capa pluvial y guareciéndose como puede bajo la balconada de la casa de enfrente, Roland lo ve llegar con el agua por las rodillas.

–Roland, ¿quieres dejar de comportarte como un mentecato? Venga, entra en casa. Si lo que tienes que hacer es vigilarme, se me vigila mejor desde dentro.

A Roland le hace gracia la reacción de Pfister. Se desmonta, encierra al caballo en la cuadra y entra en el taller. Pfister le pide al ama que les prepare algo de cena mientras se secan frente al horno de fundición.

–Prefiero cenar en el taller, si no le importa.

–El ansia de notoriedad también tiene su límite –le dice Pfister sin mirarlo.

–Quiero que sepa –advierte Roland– que esta vez tengo órdenes de matarlo si se me resiste o intenta escapar.

–Hay que ver qué trabajo más perro –responde Pfister con sorna–. Un día tienes que salvarle la vida a alguien y al día siguiente tienes que quitársela.

–Hablando de quitar la vida, ¿cómo va ese pinchazo?

Pfister no lo oye. Ha bajado a la bodega. Cuando sube con unas cuantas botellas de Burdeos el ama ha puesto ya la mesa. Les ha servido unas perdices escabechadas. Cenan mientras hablan de la meteorología y de lo que se puede hacer para que no se inunde el taller. El sonido de la lluvia es atronador. Cuando las perdices se terminan y con ellas el vino, Pfister descorcha la segunda botella.

–¿A qué espera Ory para prenderme?

–A que termine el asunto Servet, supongo. Ahora mismo no tiene ojos para otra cosa.

–¿Se sabe algo de nuestro hereje? –pregunta Pfister distraídamente, como si no fuera esa la pregunta que lleva meses queriéndole hacer.

–Escapó –le contesta Roland con la misma indiferencia, y a Pfister esa noticia le alegra más de lo razonable.

–Ory estará furioso.

–No. Está contento. Los protestantes acaban de arrestarlo en Ginebra. Van a quemarlo. Aquí también lo quemaron, pero en efigie; se dice así, ¿no? En efigie. Cuando se escapó hicieron un retrato de Servet, apilaron todos sus libros y les prendieron fuego. Pero ahora, en Ginebra, parece que van a quemarlo de verdad.

–¿Quemarlo, Calvino? No creo. Los ginebrinos jamás han quemado a nadie; eso es cosa de los papistas. Sería un escándalo que un perseguido por los católicos fuera prendido por los protestantes y sometido al mismo proceso que siempre han criticado. Eso tendría una gran carga simbólica. No creo que Calvino cometa esa torpeza. No creo que quiera mancharse las manos de ceniza.

–Van a quemarlo precisamente por eso, porque tiene una gran carga simbólica. Y Ory está contento porque se va a ahorrar los gastos del proceso y de la ejecución.

Pfister está seguro de que no será así, pero no insiste. De todos modos, se pregunta qué diablos hace Servet en Ginebra. ¿Por qué ha ido a ver al hombre que lo ha denunciado? La única explicación lógica es que Servet no sepa, que ni siquiera imagine, que Calvino lo ha traicionado.

–Según nuestros informes este Servet no es tan inocente como parece. Ha estado conspirando contra Calvino. Parece ser que llevaba un mes en Ginebra preparando su derrocamiento.

–No creo que Servet sea un conspirador.

–Yo no puedo decirle lo contrario. No lo conozco, no lo he visto en mi vida, no he podido olerlo ni sentir cómo respira.

–Yo he leído sus libros. Sus textos no son los textos de un conspirador.

–Textos, textos. Parece mentira que un hombre culto como usted siga fiándose de los textos.

La situación es bastante curiosa. Están sentados, el uno frente al otro, con los restos de las perdices escabechadas apartados a un lado de la mesa. Han colocado en medio de ambos la segunda botella de vino, que está a punto de terminarse. Tal y como se encuentran resulta más natural mirarse a los ojos que apartar la vista.

–¿Qué tal ese pinchazo?

Es la primera vez que Pfister mira a Roland detenidamente. Aunque debe de tener su misma edad, su rostro de facciones duras y piel curtida aparenta diez años más. Le maravilla que no tenga un solo pelo. Su contundente cabeza, tersa y brillante, y su cuello, ancho y poderoso, le dan una apariencia brutal. Los ojos en cambio son muy azules, infantiles casi, como si la naturaleza quisiera desmentir o ironizar sobre la ferocidad de su aspecto. Y tiene un tic. Con la boca cerrada presiona rítmicamente las mandíbulas, y este movimiento del músculo repercute en las sienes.

–Nunca me preguntaste quién era ese Arnold Krug y por qué me pinchó.

–En mi trabajo conviene hacer pocas preguntas.

–Ya, pero querrás saberlo, ¿no?

–Lo que yo quiera es cosa mía.

Pfister se levanta a por la tercera botella de vino y la descorcha sin que Roland oponga resistencia. Y es allí, en el taller, bajo un impresionante aguacero, donde Pfister comienza a desgranar unos episodios que sucedieron hace veinte años. Parece que está recordando el pasado, pero en realidad Pfister está hablando del presente, de sí mismo, de quién es él y de cómo ha llegado hasta allí. Cuenta hechos más o menos reales, sucesos que se han conservado gaseosos en el limbo de su memoria, flotando junto a otros más o menos imaginarios. Aquello, que fue tan real mientras sucedía y que de pronto se evaporó, va cobrando cuerpo de nuevo. No es que el verbo se haga carne; es que el verbo es la única carne. Lo que Pfister cuenta no es lo que sucedió, sino el relato de lo que sucedió. Pero eso no le resta valor como testimonio ni como instrumento de análisis. Al contrario: lo que Pfister cuenta es una materia mucho más rica que la constituida únicamente por lo sucedido. Aquellos hechos que conserva la memoria son semillas que han germinado con el tiempo gracias a la imaginación. Son sucesos que se enriquecen solo por el hecho de contarlos, de someterlos al juicio de otra persona. Porque Roland también tiene aquí mucho que decir. Sus intervenciones, sus matizaciones y sus preguntas encauzan el discurso de Pfister, lo contienen, y a veces le hacen decir lo que quizás este nunca pensó revelar. Al fin y al cabo no se trata de un monólogo, sino de una conversación. Y no está de más recordar que esta reconstrucción es solamente un orden de palabras. Pero qué se le va a hacer; no hay que demolerla por eso. La morfosintaxis es la única herramienta que Pfister tiene a su alcance para explicarse precariamente el mundo, para orientarse en el caos y para tratar de ser en él medianamente justo.

El proceso es extenuante y cuando Pfister termina se siente agotado. Propone dejar para otra ocasión el relato de su escapada, su fuga después de la masacre, pero Roland piensa que Pfister no logró escapar de Münster, que Pfister en realidad está muerto. Y así se lo dice:

–¿Escapar? Usted no logró escapar. A usted lo mataron.

Entonces Pfister se pone en pie y con los ojos encendidos por el vino le hace una propuesta:

–Vamos a Ginebra, Roland. Tú y yo. Vamos a Ginebra esta misma noche. Si salimos ahora llegaremos de madrugada. Tenemos tiempo.

Pero Roland no se levanta de su sitio. Se ríe.

–¿Por qué te ríes? –le pregunta Pfister repentinamente irritado–. No hace falta ser tan estridente para dejarme bien claro que eres un escéptico, que tú no crees en nada.

Roland sigue riéndose.

–Claro que creo en cosas. Creo en las perdices escabechadas, creo en este vino, creo en el coito, creo un poco en la amistad, pero poco. Y creo que ningún afán, por hermoso y justo que pueda parecer, merece el sacrificio de un solo individuo.

–Exacto. Por eso te estoy proponiendo que vayamos a Ginebra.

La risa de Roland se interrumpe abruptamente.

–¿Y qué quiere usted hacer en Ginebra? ¿Hablar con Calvino? ¿Es eso lo que quiere? ¿Hablar con Calvino? ¿Y cómo se presentará? ¿Como Joachim Pfister, fundidor de tipos? ¿O como Bernd Rothmann, bestia negra de los católicos, que durante unas semanas ha sido comisario del mismo Santo Oficio que hace años le persiguió para quemarlo? ¿Dirá eso? ¿Le dirá que usted también ha perseguido a Servet, que también lo ha traicionado? ¿Dirá que usted detesta a los anabaptistas, que todo aquello de Münster fue un pecado de juventud? ¿Y después qué más dirá? ¿Dirá que no se puede quemar a un ser humano sólo por pensar de modo diferente? ¿Le dirá a Calvino que sería un escándalo comportarse como aquellos que provocaron su propia disidencia? ¿Le preguntará si no se da cuenta de que su reforma de la Iglesia católica está a punto de convertirse en algo aún más intransigente? ¿Tendrá usted el valor de decir eso, sabiendo que si lo hace Calvino lo meterá en una olla de fundición con la misma facilidad con que usted arroja en ella los viejos tipos de imprenta?

Pfister escucha incrédulo esta retahíla de preguntas impertinentes. Le resulta increíble que Roland se atreva a hablarle así. Debe de ser el vino, que se le ha subido a la cabeza.

Pero Roland no parece borracho.

–Además –añade–, Calvino debe de estar a punto de quemarlo. No sé si era hoy, quizás ayer, cuando el tribunal dictaba sentencia. Y le recuerdo que no puede salir de Francia, que tengo órdenes de impedírselo.

Sin decir una palabra, como si no hubiera oído esta última advertencia, Pfister sube al piso de arriba, se abriga con parsimonia y baja de nuevo al taller. No es valentía lo que le lleva a hablarle del siguiente modo, sino una especie de serena aceptación de riesgos, digamos. Ha tomado una decisión y está dispuesto a asumir sin dramatismo las consecuencias. Lo que no quiere de ningún modo es cabalgar mirando hacia atrás, pendiente de la persecución y discurriendo modos de esconderse. Sabe además que ese esfuerzo resultaría inútil. Así que, conocido el resultado, lo más razonable es ahorrarse la apuesta.

–Oye, Roland –le dice–, me voy a Ginebra. Si tienes que impedírmelo, preferiría que lo hicieras ahora. Lo que no tiene sentido es que salgas en mi busca pudiendo retenerme aquí. Fíjate la que está cayendo.

Los siguientes cinco segundos son interminables. Pfister espera que Roland se levante y lo coja del brazo o que se interponga entre él y la puerta. Pero nada de esto sucede. Roland simplemente le sostiene la mirada y espera acontecimientos. Y los acontecimientos son estos: Pfister entra en la cuadra, monta su alazán y sale de Lyon al galope sin que Roland, que ha seguido atentamente sus movimientos, mueva un dedo por impedirlos. Mientras cabalga, Pfister nota en su rostro enfebrecido el diluvio universal y el viento helado de aquella noche de octubre.

Descenso

Descenso

La historia termina en Ginebra. Clarea el día cuando Pfister llega a la puerta de San Antonio, que está todavía cerrada. Quienes llegan a deshora deben entrar por una poterna situada a doscientos pasos de la puerta principal, que se abre como por arte de magia cuando el visitante se aproxima. Pero no es magia lo que la mueve, sino una enorme y ruidosa cadena accionada por algún vigilante. A través de ella Pfister accede a un puente que salva un foso, y que lo conduce a una pequeña plaza, donde dos guardias lo están esperando para preguntarle el motivo de su visita. Viene, dice, para asistir al proceso del hereje Servet. Pero a ese perro, dicen los guardias, lo condenaron ayer. Acaban de sacarlo por esa misma puerta para quemarlo en la hoguera, arriba, en Champel, la colina que tienen enfrente. A estas horas ya debe de estar hecho cisco.

Pfister vuelve sobre sus pasos y pide salir de la ciudad, aprisa. Los soldados se encogen de hombros. La poterna por la que acaba de entrar se abre de nuevo y Pfister sale de allí sin acabar de comprender por qué Calvino se empeña en cometer semejante error político. Hinca las espuelas y se dirige hacia la colina. La pendiente es tan pronunciada, y las ansias de Pfister por llegar arriba tan apremiantes, que su caballo, agotado por el largo viaje desde Lyon, cae fulminado al poco de iniciar la subida. Allí lo deja, no hay tiempo para contemplaciones; y echa a andar.

Sube animosamente hasta que las fuerzas lo abandonan y tiene que sentarse al borde del camino, incapaz de continuar la marcha. Desde allí la vista es espectacular; se domina toda Ginebra, levantada a la orilla del Ródano, alrededor de la catedral. Se quedaría admirando el paisaje, pero aún tiene por delante la mitad del trayecto. Cuando Pfister se levanta dispuesto a reanudar el ascenso acierta a pasar por allí un hombre que sube la pendiente a lomos de una mula. Hablan. El hombre le pregunta si el caballo reventado de ahí abajo es suyo. Es un hombre algo más joven que él, rubio, no muy alto, pero airoso. Su ropa, como su montura, es humilde, pero está limpia y bien planchada. Pfister dice que es suyo y lo disculpa. Ha cabalgado toda la noche sin descanso y lo que le extraña es que no haya entrado en síncope mucho antes. El caballo es una criatura muy noble y muy intuitiva, le explica el hombre, barrunta cuándo tiene que sacrificarse por el jinete, y lo acepta. Si tiene que morir, muere. Pfister le pregunta si es acemilero. No, no es acemilero; es gramático, pero su padre sí fue acemilero y sabía mucho de mulos y caballos. Luego, es él quien le pregunta a Pfister de dónde viene. De Lyon, contesta Pfister. El hombre sabe que el camino de Lyon es malo y supone que Pfister debe de estar rendido, así que le ofrece subirlo en la mula. En otras circunstancias Pfister se hubiera resistido a montar en una acémila detrás de un hombre y agarrarse a su cintura, pero está demasiado cansado para andarse con remilgos. Y además el tiempo apremia. Así que se acomoda como puede tras el gramático, y juntos continúan el ascenso.

Charlan, y en un momento de la conversación el hombre le pregunta si él también sube a la hoguera. Pfister medita su respuesta y musita una frase cautelosa y ambigua. No se olvida de que está en Ginebra y de que lo lógico es que aquel hombre sea un firme defensor de Jean Calvino. Pero no es así. Aquel hombre, Alfred Kostelka se llama, dice que el juicio a Miguel Servet ha sido una maniobra de Calvino para consolidar su poder. Una maniobra no exenta de motivaciones personales.

Al oír semejante opinión Pfister se olvida de la prudencia y le pregunta atropelladamente por el desarrollo del proceso, por las acusaciones a Servet, por su defensa, por los motivos de Calvino para cometer un error tan torpe, por la limpieza del procedimiento, por los detalles de la prisión y por la condena final.

Kostelka le cuenta que en las primeras jornadas Calvino se ha centrado en cuestiones teológicas. Ha presentado un resumen de la doctrina de Servet sobre la Trinidad, sobre la esencia de Dios, sobre Jesucristo y el Espíritu Santo, sobre la Encarnación, sobre los ángeles y sobre el bautismo y la resurrección de los muertos. Su principal argumento ha sido que Servet, aparte de ofender a Dios, enseña doctrina falsa. Y que divulgando en sus libros todos esos errores está provocando la muerte de muchas almas. Y que ese delito es el más horrible y espantoso que puede cometer un hombre. Y que al lado de este crimen la eliminación de un cuerpo carece de importancia. Servet ha contestado sin piedad. Lo ha llamado sicofanta, pérfido y ratón ridículo. Lo ha acusado de traicionar a Cristo y le ha exigido que se siente con él en el banquillo de los acusados.

Kostelka dice que hay que ser muy honesto, muy fiel a las propias ideas, que hay que ser un tipo muy duro o muy cabezón, o que hay que estar muy loco, o que hay que tener una ingenua confianza en la ley de los hombres para soltarle públicamente todo esto a Calvino, sabiendo que tu vida depende únicamente de su criterio disfrazado de voluntad divina. Porque en Ginebra casi todos piensan que Calvino actúa en nombre de Dios y que a nadie le duele más que a él que Servet no muestre arrepentimiento. Kostelka dice que los ginebrinos se han granjeado muchos enemigos, y que estos enemigos usan la libertad para intentar destruirlos. Todas las sociedades tienen derecho a defenderse, es cierto, pero matar a un hombre, viene a decir Kostelka, no es purificar una iglesia. Matar a un hombre es matar a un hombre.

Mientras ascienden con una lentitud desesperante la interminable cuesta de Champel, Kostelka le cuenta el final del proceso. Le dice que al cabo de unas semanas Calvino comprende que por la vía teológica difícilmente va a obtener una justificación para quemar a Servet. Su inteligencia, su vasta preparación y su dominio del hebreo lo hacen invulnerable en cuestiones religiosas. Calvino no tiene más remedio que cambiar de estrategia. Opta entonces por centrarse en su vida privada. Investiga y descubre cositas. Un tipo que permanece soltero toda la vida, alguien que embauca a una ingenua muchachita de Charlieu con el cuento ese del aire, y que luego en Vienne contrata a un criado tan jovencito... Calvino consigue sembrar dudas, pero Servet no se arredra. Pide papel, pluma y tinta y redacta su propia defensa. La defensa de su vida. Un texto, según Kostelka, tan brillante como inútil. Pero ¿qué se puede esperar de un tribunal compuesto por Pressure, Kindenlan y Lamartin, a quien Kostelka ha visto consagrar sus propias heces en una cena del Señor?

Hubo un momento, recuerda Kostelka, en el que Servet pareció doblegarse. Llamó a Calvino y le dijo que quería pedirle perdón. Pero Calvino consideró que no era a él, sino a Dios, a quien Servet debía pedírselo. Entonces Servet dijo que no; que él no había ofendido a Dios; que él sólo había expresado sus convicciones. Unas convicciones que en palabras de Kostelka resultan polémicas, pero atractivas. A él, a Kostelka, le gusta especialmente esa defensa de la libertad del hombre frente a Dios y frente a los demás hombres. Kostelka cree que es eso precisamente, la defensa de la libertad, lo que más ha irritado a Calvino. Le gusta también esa idea de que los seres humanos tenemos algo de dioses. A él no le va eso del hombre como un ser miserable, insignificante y sucio que adora desde el polvo a un Dios indeciblemente santo, al que jamás podrá unirse.

La historia termina con Joachim Pfister subido en una mula, abrazado a la cintura de un gramático, intentando llegar a la hoguera antes de que ejecuten a Servet. ¿Para qué? Ni él mismo lo sabe. Naturalmente, no llegan a tiempo. A Servet lo queman la madrugada del 27 de octubre de 1553, de modo que cuando Pfister y Kostelka alcanzan la cumbre lo único que encuentran es un montón de ceniza.

Hoy aquello no es un lugar agreste y desierto, sino una colonia residencial, levantada alrededor de un hermoso parque. La vista sigue siendo bellísima. No solo se divisa Ginebra, también se domina el lago Leman, las crestas nevadas del Mont Blanc y el monte Jura. Debe de haber alguna universidad o algún centro de estudios cerca, porque la mayoría de la gente que se ve por allí es gente joven que charla animadamente, sentada, si amanece soleado, en las terrazas de los kioscos y de las cervecerías. No es raro tropezarse con algún grupo de turistas españoles comiendo bocadillos y mirando con insolencia a su alrededor. Un poco más allá, dentro del parque, el Ayuntamiento ha instalado una piscina al aire libre para que los chicos chapoteen en verano mientras los grandes toman el sol tumbados en la hierba. La calle Miguel Servet llega prácticamente hasta arriba y tiene mucho tráfico. Hacia la mitad más o menos, frente a un enorme hospital, a mano izquierda según se baja, escondida en un recodo, hay una lápida que conmemora el nacimiento y la muerte de Servet. Está erigida sobre un lecho de grama silvestre y es junto a los raros ejemplares de sus libros el único testimonio de su paso por el mundo, de sus afanes, de sus amargas decepciones, de su soberbia, de su honestidad, de su vanidad, de su sacrificio.

Y una última estampa: a la vuelta, de regreso a Ginebra, Pfister y Kostelka se detienen un instante para orinar al borde del camino. El gramático trata de romper el mutismo de Pfister, que no ha abierto la boca desde que llegaron a la hoguera ya prácticamente extinguida de Servet.

–Por cierto –le comenta–, no me has dicho cómo te llamas.

–Bernd –responde Pfister ensimismado–, me llamo Bernd Rothmann.

Y vuelve a quedarse en silencio.

Entonces Kostelka le propone pasear por la ciudad y almorzar después en una de las casas de huéspedes más famosas de Ginebra.

–Ya verás qué bien se come, qué bien se bebe y

269

qué pronto se olvidan allí las aflicciones –le dice palmeándole la espalda.

Y sin decir otra palabra los dos hombres se componen la ropa y reanudan su descenso.